NEW 서울대 선정 인문고전 60선

04
플라톤 국가

NEW 서울대 선정 인문 고전 ❹

만화 플라톤 국가

개정 1판 1쇄 발행 | 2019. 8. 21
개정 1판 2쇄 발행 | 2021. 9. 27

손영운 글 | 이규환 그림 | 손영운 기획

발행처 김영사 | 발행인 고세규
등록번호 제 406-2003-036호 | 등록일자 1979. 5. 17.
주소 경기도 파주시 문발로 197 (우10881)
전화 마케팅부 031-955-3100 | 편집부 031-955-3113~20 | 팩스 031-955-3111

값은 표지에 있습니다.
ISBN 978-89-349-9429-9
ISBN 978-89-349-9425-1(세트)

좋은 독자가 좋은 책을 만듭니다. 김영사는 독자 여러분의 의견에 항상 귀 기울이고 있습니다.
전자우편 book@gimmyoung.com | 홈페이지 www.gimmyoungjr.com

이 도서의 국립중앙도서관 출판예정도서목록(CIP)은 서지정보유통지원시스템 홈페이지(http://seoji.nl.go.kr)와
국가자료종합목록시스템(http://www.nl.go.kr/kolisnet)에서 이용하실 수 있습니다. (CIP제어번호 : CIP2018042467)

어린이제품 안전특별법에 의한 표시사항

제품명 도서 제조년월일 2021년 9월 27일 제조사명 김영사 주소 10881 경기도 파주시 문발로 197
전화번호 031-955-3100 제조국명 대한민국 ⚠주의 책 모서리에 찍히거나 책장에 베이지 않게 조심하세요.

미래의 글로벌 리더들이 꼭 읽어야 할 인문고전을 만화로 만나다

NEW 서울대 선정 인문고전 60선

04

플라톤 국가

손영운 글 · 이규환 그림

주니어김영사

| 기획에 부쳐 |

〈NEW 서울대 선정 인문고전60〉이 국민 만화책이 되기를 바라며

제가 대여섯 살 때 동네 골목 어귀에 어린이들에게 만화책을 빌려주는 좌판 만화 대여소가 있었습니다. 땅바닥에 두터운 검정 비닐을 깔고 그 위에 아이들이 좋아하는 만화책을 늘어놓았는데, 1원을 내면 낡은 만화책 한 권을 빌릴 수 있었지요. 저는 그곳에서 만화책을 보면서 한글을 깨쳤고 책과의 인연을 맺었습니다.

초등학교 때는 용돈을 아껴서 책을 사서 읽었고, 중학교 때는 학교 도서 반장을 맡아 도서관에서 매일 밤 10시까지 있으면서 참 많은 책을 읽었습니다. 그 무렵 헤밍웨이의《노인과 바다》를 손에 땀을 쥐며 읽으면서 인생에 대해 고민했고, 헤르만 헤세의《수레바퀴 아래서》를 읽으며 사춘기의 심란한 마음을 달랬습니다. 김래성의《청춘 극장》을 밤새워 읽는 바람에 다음 날 치르는 중간고사를 망치기도 했습니다.

당시 저의 꿈은 아주 큰 도서관을 운영하는 사람이 되어 온종일 책을 보면서 책을 쓰는 작가가 되는 것이었습니다. 나이가 들고 어느 정도 바라는 꿈을 이루었습니다. 큰 도서관은 아니지만 적당한 크기의 서점을 운영하고, 글을 쓰는 작가가 되었거든요. 저는 여기에 새로운 꿈을 하나 더 보탰습니다. 그것은 즐거운 마음과 힘찬 꿈을 가지게 해 주고, 나아가 자기 성찰을 도와주는 좋은 만화책을 만드는 일이었습니다. 이렇게 해서 만든 책이 바로 〈서울대 선정 인문고전〉입니다. 서울대학교 교수님들이 신입생과 청소년들이 꼭 읽어야 할 책으로 추천한 도서들 중에서 따로 60권을 골라 만화로 만든 것입니다. 인류 지성사의 금자탑이라고 할 수 있는 고전을 보기 편하고 이해하기 쉽도록 만화책으로 만드는 일은 쉬운 일은 아니었습니다. 약 4년 동안에 수십 명의 학교 선생님들과 전공 학자들이 원서의 내용을 정확하게 전달할 수 있도록 밑글을 쓰고, 수십 명의 만화가들이 고민에 고민을 거듭하면서 만화를 그려 60권의 책을 만들었습니다.

〈서울대 선정 인문고전〉이 완간되었을 무렵에 우리나라에 인문학 읽기 열풍이 불기 시작했습니다. 〈서울대 선정 인문고전〉은 인문학 열풍을 널리 퍼뜨리는 데 한몫을 하면서 독자들의 뜨거운 사랑과 관심을 받았습니다. 덕분에 지금까지 수백만 권이 팔리는 베스트셀러가 되었습니다. 그 사랑에 조금이나마 보답을 하기 위해 《칸트의 실천이성 비판》, 《미셸 푸코의 지식의 고고학》, 《이이의 성학집요》 등 우리가 꼭 읽어야 할 동서양의 고전 10권을 추가하여 만화로 만들었습니다.

〈서울대 선정 인문고전〉은 어린이와 청소년이 부모님과 함께 봐도 좋을 만화책입니다. 국민 배우, 국민 가수가 있듯이 〈서울대 선정 인문고전〉이 '국민 만화책'이 되길 큰마음으로 바랍니다.

손영운

2천 년을 흐르는 지혜로운 가르침

아주 오래 전 인류의 조상들은 이 땅의 주인으로 살기 시작한 때부터 가족 단위로 모여 살았습니다. 세월이 흘러 가족의 수가 늘고, 이웃과의 교류가 시작되면서 가족은 부락이 되었지요. 부락은 다시 모여 큰 사회를 이루었는데 우리는 이것을 '국가'라고 합니다. 인류가 국가를 이루고 살게 된 것은 서로의 도움이 필요해서였답니다. 먹고, 자고, 입는 문제들을 서로의 분업과 교환을 통해 해결하는 것이 훨씬 편리하다는 것과, 외부의 침입을 대비하기 위해서도 국가의 형태가 필요하다는 것을 깨달았기 때문입니다.

그러므로 국가를 이루고 사는 각 개인들의 생활은 편리하고, 안전해야 합니다. 하지만 현실은 꼭 그렇지 않습니다. 플라톤이 살았던 고대 그리스 시대의 아테네는 잦은 전쟁과 불안정한 정치 상황, 그리고 전염병 등으로 국가가 제대로 역할을 못했어요. 플라톤은 존경하던 스승인 소크라테스가 정치적인 이유로 독약을 마시고 목숨을 잃는 모습을 목격하기도 했습니다. 아테네의 귀족 집안에서 태어났던 플라톤은 이런 모습에 큰 충격을 받고, 인간의 올바른 삶은 무엇인가? 또 인간이 올바르게 살기 위해서 국가는 어떤 역할을 해야 하는가? 등의 문제를 두고 깊이 고민하기 시작했어요.

그래서 나온 것이 플라톤의 《국가》라는 책입니다. 플라톤은 《국가》에서 모든 인간이 행복하게 살기 위해서는 국가가 올바르게 서야 한다고 주장합니다. 플라톤은 착함과 올바름의 이데아를 실현할 수 있는 국가가 제대로 된 국가이며, 국가의 목표는 모든 계급의 사람들에게 최대의 행복을 주는 거라고 말했지요.

플라톤의 《국가》를 읽으면서 많은 부분에서 고개를 끄떡였고, 정말 이대로만 된다면 참 좋은 세상이 되겠구나 하고 생각했어요. 물론 아쉽게도 어떤 부분에서는 매우 이상적이어서 현실성이 없다고 생각했고요. 그럼에도 불구하고 플라톤의 《국가》는 오늘날 사람들이 추구하는 정의롭고 행복이 넘치는 국가, 즉 올바른 국가를 건설하는 데 필요한 지혜를 알려주고 있어요.

《국가》를 꼼꼼히 읽어 보면 처음부터 마지막까지 올바름을 찾아가는 대화들로 되어 있다는 것을 알 수 있을 거예요. 플라톤은 개인의 올바름이 국가 올바름의 기본이며, 올바른 국가를 만들기 위해서는 국민 개개인이 '제 것을 가지고, 제 일을 행하면 된다.' 라고 주장하고 있어요. 다시 말해 모든 국민이 자기가 할 일을 충실히 하고, 자기 것만 가지면 된다는 것이지요. 매우 단순하지만 지혜로운 가르침이라는 생각이 들어요. 이러한 이유로 플라톤의 《국가》는 2천 년이 흐른 오늘날에도 꼭 읽어야 할 고전의 자리를 지키고 있답니다.

손영운

플라톤이 말하는 '국가'

'네 자신을 알라!' 라는 유명한 말을 남긴 철학자 소크라테스와 그의 제자이며, 이 책의 저자인 플라톤은 우리들 귀에 가장 익은 철학자들입니다. 왜 이들이 그토록 많은 사람들의 입에 오르내리는지, 그들의 사상은 무엇인지, 철학 하면 왜 이 두 사람을 떠올리는지, 여러분은 알고 있나요? 사실 모든 것이 빠르게 변하고 있는 요즈음, '철학' 은 따분함 그 자체라고 생각될 수도 있습니다.

그렇지만 인간이라면 누구나 혼자 사색을 즐기거나 자신을 돌아보는 때가 있는 법, 그런 순간을 통해 인간은 자연스럽게 철학적인 생각을 합니다. 다시 말해서 생각하는 동물, 인간은 누구나 철학자가 될 수도 있고 철학자이기도 한 것입니다. 그래서 무엇보다도 철학을 따분하게 느끼면서도, 매순간 철학적인 사고를 하고 있는 것이죠.

그런 점을 생각할 때 철학은 우리 삶에 무척 가까이 있습니다.

이 책의 제목만 봐도 알 수 있듯이 《국가》는 '국가' 와 '인간' 에 대한 이야기들로 가득합니다. 좋은 국가를 만들기 위해서 인간은 무엇을 어떻게 해야 하는지 진지하게 설명합니다. 소크라테스와 여러 사람들이 나누는 대화는 이해하기 쉽지 않지만, 올바른 국가를 만들기 위해 노력했던 그들의 모습은 독자들을 감동시킵니다.

세상에는 참 많은 국가들이 있습니다. 여러 국가 중에서 우리나라는 민주주의 국가이며, 자본주의 국가이지요. 물론 플라톤이 쓴 《국가》에서는 민주 정치를 좋지 않게 생각하지만 현재 우리는 시대의 흐름에 맞게 대중을 위한, 대중의 의견을 잘 반영하는 나

라가 되기 위해 노력하고 있습니다. 우리가 행복한 삶을 사는 데 있어서 국가란 가장 기초적인 터전을 마련해 주는 중요한 시작입니다. 따라서 그 국가를 제대로 이끌고 나갈 대통령을 선택하고, 다양한 사회 활동에 참여하는 것은 곧 삶의 행복으로 직결되지요. 그런 점에서 플라톤이 쓴 《국가》는 앞으로 우리나라를 이끌 많은 청소년들에게 큰 도움이 될 것입니다.

플라톤은 소크라테스를 통해 어떤 사람이 통치자가 되어야 한다고 말할까요? 그리고 어떤 국가가 가장 이상적이고, 그런 국가를 만들기 위해 우리가 무엇을 해야 한다고 말할까요?

모든 독자들이 플라톤이 쓴 대화를 귀 기울여 듣고 앞으로 국가가 나아가야 할 방향에 대해 생각해 볼 수 있는 지식과 힘을 얻었으면 좋겠습니다.

이규환

| 차 례 |

제1장 《국가》는 어떤 책일까?

이상국가

플라톤!
많이 들어 본 이름이지?
안녕, 난 플라톤이라고 해. 반가워.

그런데 대체 무엇으로 유명한 사람인지는 알고 있니?
'플라토닉 러브' 라는 말은 들어 봤다고? 설마, 시끌벅적한 연애 사건의 주인공으로 알고 있는 건 아니겠지?

플라토닉 러브는 남녀 사이의
순수하고 정신적인 사랑을 뜻한단다.
바라만 봐도
만족스러운 사랑.

이름은 플라톤에서
유래한 게 맞지만 플라톤의
사상과는 관계가 없어.
관련없음

하지만 플라톤도 여러 책들을 통해
목이 터져라 사랑을 부르짖긴 했지.
사랑
사랑
LOVE

그것은
지혜에 대한 사랑,
즉 철학을
말하는 거야.
지혜
철학
앗! 그럼 여기서
힌트를 하나 얻었겠군.
번쩍
플라톤이 철학자일지도 모른다는 사실!
맞았어.
난 철학자야.
그는 아주 오래 전에, 그리스라는
먼 나라에서 살았던 위대한 철학자란다.
오늘 소개하려는 이 《국가》라는 책은 그의 위대함을 보여 주는
생생한 증거물이지.
원래 제목은
《폴리테이아》
란다.
POLITEIA
의미로 보면 '정치 체제'가 더 나을 것 같지만….
그 책 제목이
《국가》
아니었어?
이미 친구들에겐 《국가》로
많이 알려져 있으니 여기서도 그냥
'국가'라고 하자.
국가
이 한 권만 읽으면, 플라톤이 평생 동안 대체
무슨 생각을 하고 살았는지
거의 전부를 알 수 있단다.
이 모든 게 한 권에
다 ~ 들어 있어.
쩝
쩝
형이상학
인식론
정치 사상
철학의 거의 모든 영역을
다루고 있지.
어딜 가나
필수 도서 목록에
꼭 끼어 있어.
국가
플라톤이 남긴 저서 중 가장
위대하고 방대한 저서로 꼽힌단다.
나의 자랑,
나의 《국가》.
원래는 어마어마하게 두꺼운 책이야.
한 권이 600쪽이 넘는다나?
이 두꺼운 게 무려
10권이나 된다고.

10권 중 제1권은, 혈기 왕성하고 재기 넘치는 청년 시절에 썼고
책 한 권 쓰고 나니 청춘이 다 가 버렸네.
나머지 아홉 권은, 생각이 보다 원숙해지는 중년 이후에 썼어.
나이가 들면 생각도 깊어지는 법….
내용은 소크라테스가 여러 사람들과 대화를 이어가는 식이야.
SOCRATES
안녕, 난 소크라테스야.
그런데 등장 인물들의 이름이 너무나 길고 복잡하다는 게 문제야.
내 이름은 테아이테토스, 폴레마르코….
시대적, 문화적 차이 때문에 어쩔 수 없어.
헤헤
그래서 웬만하면 이름을 넣지 않고 설명하려고 해.
이름보다는 어떤 내용의 말들이 오고 갔는지가 중요하니까.
한 가지 다행인 건, 재미있는 비유와 이야기들이 심심찮게 나온다는 거야.
내가 비유를 들어 설명하는 데는 뛰어나거든.
플라톤 100
특히 우리가 알고 있는 이 세상이 동굴에 비친 그림자에 불과하다는 동굴의 비유와 '기게스의 반지' 이야기는 대학교 논술 시험의 단골 손님이지.
저것이 이 세상의 전부인가?
그런데 플라톤의 책에 왜 플라톤은 나오지 않고 소크라테스만 나오는 걸까?
뜨끔
뭔가 사정이 있을 텐데…. 플라톤이 수줍음이 많았던 걸까?
다~ 사정이 있어서 그런 거야.
출연거부
해답은 소크라테스와 플라톤의 '아주 특별한 관계'에 있어.
소크라테스는 바로 나의 스승님이시지.
왠지 쑥스럽구먼.

플라톤이 청년기였던 B.C. 5세기는 인류 정신사에서 가장 빛나는 시대였어.
석가모니, 공자, 소크라테스가 모두 이 시대에 활동했지.
어이, 잘 돼가고 있나?
물론이지.
열심히 하자고.
소크라테스
석가모니
공자
소크라테스 역시 석가모니나 공자처럼 책 한 권도 남기지 않았어.
제자들 키우기도 바쁜데 언제 책을 쓰겠나?
반면, 그의 제자 플라톤은 30여 편에 달하는 저서를 남겼지.
열심히, 열심히! 남는 건 책밖에 없어.
이 책들은 마치 배우들이 대사를 주고받는 희곡처럼, 주제를 둘러싸고 이야기를 주고받는 식으로 쓰였어.
그래서 내가 쓴 책들을 '대화편' 이라고 부르지.
대화편의 인물들은 모두 역사상 실존 인물들이고, 대체로 소크라테스가 주인공이야.
그만큼 저에게 스승님의 그림자가 크다는 뜻이지요.
하하, 기특한 내 제자.
그러니 플라톤이 쓴 책의 내용은 자신의 철학이자 소크라테스의 철학이기도 하단다.
'도덕은 지식'이라는 스승님의 뜻을 철저하게 계승했답니다.
플라톤은 이 책에서 지성에 의해서만 도달할 수 있다는 '이데아계'의 존재를 주장했어.
모든 사물들에는 이데아가 존재합니다.
?
그리고 관습이나 도덕에 얽매이지 않고 자신의 철학적 신념과 상상력을 바탕으로 새로운 유형의 국가를 만들었지.
뚝딱
뚝딱
상상력
신념

그가 이 책에서 그린 국가는
그가 생각하는 정치의 이데아인 셈이야.
내가 만든 국가이니 당연히 내 생각이 법이지.
국가
그의 상상력은 참으로 대담무쌍했어.
상상력엔 한계가 없는 법이니까.
철인 국가론, 사유 재산의 폐지, 공동생활⋯.
어쩐지 공산 국가 같지 않아?
배우자와 자녀의 공유, 우량아 확보를 위한 출산규제까지 주장하고 있어.
왜 국가가 개인의 출산 문제까지 참견을 해?
출산이 모든 인간 문제의 출발점이니 그렇지요.
또한 국가를 커다란 인간으로 보고
인간의 영혼은 이성, 격정(기개), 욕구, 이렇게 3가지로 이루어져 있지.
국가도 통치자(이성), 군인(격정), 생산자(욕구), 세 가지 계층으로 구성되며
이들의 조화에 의해 '올바름'을 달성할 수 있다고 보았어.
통치자 말에 절대 충성하며 질서를 지킬 때 이상국가를 이룰 수 있다!
와아
플라톤의 국가는 현실에서 실현되기 어려운, 하나의 이상국가야.
나도 그것을 부정하지는 않아.
그는 현실의 국가가 추구해야 할 방향을 알려주고자 했던 거겠지?
좋은국가로 가는 길
한때 플라톤의 생각과 비슷하게 나라를 통치했던 시기가 있었어.

바로 교회의 지배권이 강했던 중세 유럽이 그랬어.
우리 성직자 집단이 플라톤이 제시한 통치자 계급과 아주 유사했단다.
그러나 질서가 강조된 나머지 자유는 완전히 묵살되었으니, 이상국가였다고 볼 수는 없을 거야.
질서! 질서만이 살 길이다!
이게 무슨 이상국가야.
이 문제는 나중에 세계사 시간에 자세히 배울 것이므로 여기서는 이만….
주제를 벗어나면 안 되니까.
그럼 각 권별로 어떤 내용이 실려 있는지 간단하게 알아볼까?
1 2 3 4 5 6 7 8 9 10
1권과 2권에서는 '올바름'에 대해서 이야기하고, 국가의 개념을 다루고 있어.
또한 시가(詩歌)의 교육에 대한 문제점을 지적하고 있지.
낙엽이 지고…
3권에서는 시가의 문제를 다루면서 모방의 개념을 설명해.
시 따위에 마음을 빼앗겨선 이상국가를 이룰 수 없어!
시집
팍-
또, 수호자들의 생활 방식에 대해 이야기하고 있어.
완벽한 교육, 완벽한 생활 방식!
4권에서는 지혜로운 자, 용기 있는 자, 절제하는 자들을 구분하여
용기, 하면 바로 나야!
지혜 있는 자
용기 있는 자
절제 하는 자
이들이 국가에서 맡는 지위와 역할에 대해 이야기해.
당신은 용기 있는 자니, 군인이 되시오!
네, 충성!
5권에서는 수호자들의 공동생활, 재산의 공유, 자녀와 배우자의 공유, 남녀의 평등과 권리, 철인 통치자의 필요성 등에 대한 내용이 전개돼.
철인 통치자만이 질서를 유지시킬 수가 있지!
너무 이상적이에요.

6권에서는 철학자가 추구하는 삶에 대해 이야기하면서 '좋음'의 이데아를 태양과 선분의 비유를 통해 설명하지.
태양은 곧 이데아.
태양빛이 있어야 우리도 있어.
7권은 '좋음'의 이데아와 앎의 대상들, 그리고 앎의 단계들을 '동굴의 비유'를 통해 보다 분명하게 구분하고 있지.
동굴 밖에는 무엇이 있을까?
아무것도 없어. 동굴 안이 전부라니까.
8권에서는 서로 다른 정치 체제에 대해 다루면서 철인 정체를 최상의 정치 체제로 보고
절 따라오시면 이상국가가 만들어진답니다.
?
철인 정체가 명예 정체, 과두 정체, 민주 정체, 참주 정체로 변질되는 과정을 보여 줘.
내 말이 곧 법이다! 무조건 따라야 한다!
9권에서는 참주 정체적인 인간의 불행에 대하여 적나라하게 보여 주고
이대로는 못 살아.
어차피 비참하게 죽게 될 거야.
결국, 올바르지 못하면 불행하다는 결론을 내리지.
독재자는 물러가라!
으아악~.
10권에서는 시인 추방론을 펼치며 영혼불멸과 사후의 보상에 대하여 말하고 있어.
죽어서는 이상국가를 찾을 수 있겠지?
어딘가 분명히 이상국가가 있을 거야.
간단히 정리하면, 무엇이 '올바름'인가에 대한 대화로 시작하여, 이상국가로서의 정의로운 국가가 어떻게 가능한지를 단계적으로 차근차근 풀어가고 있는 거야.
이 과정에서 인간과 사회를 둘러싼 모든 문제들이 줄줄이 도마에 오르는 것이고,
플라톤의 주요 사상들이 그의 유토피아 사상과 맞물려 우리들의 입을 통해 논의되고 있는 거야.

'유토피아'란 말을 처음 사용한 사람은 16세기 초 영국의 인문주의자 토마스 모어란다.
그리스어 '우(없음)'와 '토포스(장소)'의 합성어로, '이 세상에 없는 곳'이란 뜻이야.
ou + Topes
《유토피아》는 플라톤의 《국가》와 성 어거스틴의 《하느님의 도성》에서 영향을 받았어.
국가
하나님의 도성
비단 모어뿐만이 아니라 오늘날까지 인류는 수많은 문학 작품 속에서 다양한 이상향들을 그려 왔어. 플라톤의 이상국가는 아마 그 첫 단추였을걸?
그래, 역시 내가 선구자였어.
1
그럼 내가 두 번째인가? 유토피아 말이야.
2
아틀란티스도 이상향인데…. 같은 맥락 아닌가?
나도 한번 만들어 봤어. 들어줘.
플라톤의 국가에서 이상적인 통치자로 꼽히는 사람은 바로 '철인'이야.
철인
철인이라…. 무쇠 팔, 무쇠다리를 가진 로봇들이 사람들을 지배하는 거냐고?
흐음, SF영화를 너무 많이 봤군.
철인
그럼 철인 3종 경기 선수?
체육국가가 아니고 이상국가라니까.
여기서 말하는 철인은 '철학자'야.
정치는 학문이요, 기술이므로 지혜를 갖춘 철학자 군주만이 나라를 이끌어갈 자격이 있다는 얘기야.
플라톤은 철인 국가의 필연성과 우월함을 자세히 설명하고 그보다 열등한 나라들도 순서대로 보여 주고 있어.
자, 내가 말한 순서대로 줄을 서시오.
내가 처음이야.
무슨 소리! 내가 처음이라고.
공산국가
군주국가
참주국가
민주국가

충격적인 것은 플라톤이 민주국가를 끝에서 두 번째로 꼽고 있다는 사실!
민주제보다 못한 체제는 참주제*밖에 없다고?
민주국가
접
참주국가
접
플라톤이 민주주의를 혐오한 것은 사실이야.
괜히 싫어한 게 아니야. 이유가 다 있다고!
말도 안 돼.
민주국가
플라톤은 인간은 동등하지 않으며, 타고 난 능력의 차이가 있다고 보았단다.
난 후천적인 노력이나 교육으로는 극복하기 어렵다고 생각해.

***참주제** – 비합법적으로 권력을 차지한 독재자인 참주가 다스리는 체제

뛰어난 능력을 지닌 자가 통치를 하고, 그렇지 못한 사람은 통치를 받는 게 당연하다는 거야.
플라톤 말이 맞아!
못난 사람은 인간도 아니란 말인가?
그리고 이것이 결과적으로 전체 민중들에게 이익이 된다는 것인데….
질서만큼은 정말 잘 지켜지지.
척
척
척
어때? 오늘날의 관점에서 보면 좀 이해하기 힘들지?
지배받는 사람에게는 마찬가지야.
휴~
여기서 중요한 것은, 플라톤은 민주제에서 지도자가 결정되는 방식에 문제가 있다고 지적한다는 점이야.
민주제에서는 사람이 뛰어나다고 해서 선출되는 것이 아니라
얼마나 대중의 지지를 받느냐에 따라 선출된다는 것이지.
만 세~!
씨익~
인기….
이러니 민주제를 어리석은 체제라고 하는 거야.
딸꾹
민주국가에 살고 있고 민주주의를 수호하기 위해 힘쓰고 있는 우리들로서는 플라톤의 냉정한 평가가 불편하게 느껴지지.
우리가 얼마나 많은 희생을 치러가며 지키고 있는 민주주의인데….
플라톤 미워.
하지만 잘 생각해 보면 그의 지적에도 타당성이 있어.
민주제에서는 지도자를 선출하는 ‘객관적’ 기준이 없잖아.
시민 게시판
대통령 출마 기준표
1. 자격제한 X
2. 연령제한 X
3. 출신제한 X

대중의 지지를 얻기만 하면 아무나 지도자가 될 수 있으니 정치, 외교, 행정에 문외한인데도 인기와 '바람'만으로 선출되는 경우도 있단다.
저를 대통령으로 뽑아 주시면 무조건 아파트 한 채씩을 무상으로 드리겠습니다!
와~아
기호
게다가 특정 집단이나 특정 지역 출신이라는 이유만으로 지도자로 뽑히는 예도 있어.
저 사람이 우리 옆집, 뒷집, 앞집 사람의 사돈의 팔촌 친구라지 뭐야.
이웃사촌이니 무조건 찍어 줘야겠군.
아무리 그렇다고는 해도 민주제를 과두 정체(금권 정체*)보다 못한 것으로 여기다니….
나빠~ 민주제 나빠!
민주주의 절대반대
혹시 플라톤에게 민주주의에 얽힌 나쁜 기억이라도 있었던 걸까?
있었지, 아주 나쁜 기억이.
부르르르르
무슨 나쁜 기억인지 플라톤에게 직접 들어 볼까?
스승님~
오, 플라톤 어서 오너라.

*금권 정체 – 경제력이 있는 소수의 부유한 계층이 지배하는 통치 형태

나는 스승이신 소크라테스를 정말 존경했고, 내 부모님 이상으로 따랐지. 그런데 당시 아테네의 정치 상황은 아주 혼란스러웠고
헉!
소크라테스, 널 체포한다!
스승님은 어리석은 대중들에 의해 사형선고를 받고 말았어.
소크라테스, 사형!
우매한 대중들의 행패는 그 후로도 인류 역사에서 꾸준히 되풀이 되었어.
우리들이 이 나라의 주인이다!
와 아 아 아
우리 시민들의 뜻이 곧 법이다!
이것이 정녕 민주주의의 참모습이란 말인가? 쯧쯧, 못난 인간들….
스승님~ 크흐흐흑….

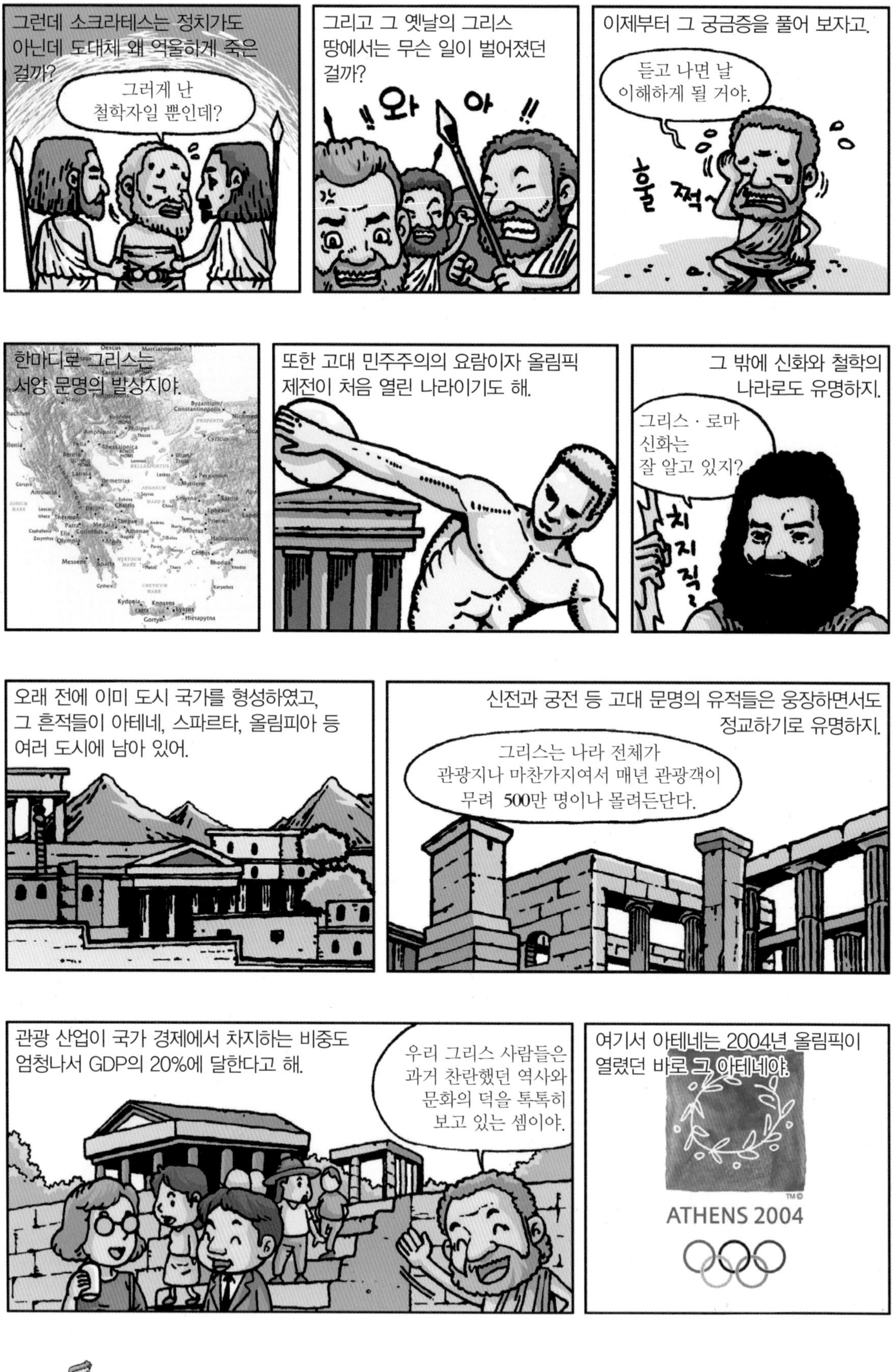
그런데 소크라테스는 정치가도 아닌데 도대체 왜 억울하게 죽은 걸까?
그러게 난 철학자일 뿐인데?
그리고 그 옛날의 그리스 땅에서는 무슨 일이 벌어졌던 걸까?
!!와 아!!
이제부터 그 궁금증을 풀어 보자고.
듣고 나면 날 이해하게 될 거야.
훌쩍~
한마디로 그리스는 서양 문명의 발상지야.
또한 고대 민주주의의 요람이자 올림픽 제전이 처음 열린 나라이기도 해.
그 밖에 신화와 철학의 나라로도 유명하지.
그리스 · 로마 신화는 잘 알고 있지?
치지직
오래 전에 이미 도시 국가를 형성하였고, 그 흔적들이 아테네, 스파르타, 올림피아 등 여러 도시에 남아 있어.
신전과 궁전 등 고대 문명의 유적들은 웅장하면서도 정교하기로 유명하지.
그리스는 나라 전체가 관광지나 마찬가지여서 매년 관광객이 무려 500만 명이나 몰려든단다.
관광 산업이 국가 경제에서 차지하는 비중도 엄청나서 GDP의 20%에 달한다고 해.
우리 그리스 사람들은 과거 찬란했던 역사와 문화의 덕을 톡톡히 보고 있는 셈이야.
여기서 아테네는 2004년 올림픽이 열렸던 바로 그 아테네야.
ATHENS 2004

고대 그리스의 도시국가 중에서 아테네는 최초로 민주정을 실시했어.
바로 여기가 고대 민주주의의 요람이지.
모든 성인 남자들이 직접 정치에 참여했고, 군대도 갔으며 저마다 공적인 일들을 맡았지.
내 나라의 일은 당연히 내가 해야지.
나라도 직접 지키고.
여기서 여자와 노예들은 제외됐어.
하지만 그 당시엔 이 정도면 굉장한 민주주의였단다.
시민들은 토론과 논쟁을 즐기곤 했지.
좀 더 민주적으로 나라를 발전시킬 방법을 찾자고.
좋아! 오늘의 논제는 민주주의야!
그러나 대외적으로는 페르시아와 스파르타의 위협을 받고 있었단다.
호시탐탐 노리고 있지.
아테네는 탐나는 도시거든.
플라톤이 살던 당시의 아테네는 페르시아 전쟁이 끝난 직후였어.
시민들이 무장을 하고 전쟁에 참여해서 거둔 승리이다 보니, 시민들의 입김이 더 세지고 정치적 요구가 많아졌지.
아테네가 무사한 게 누구 덕인데.
목숨 걸고 지켰으니 우리가 주인이지.
더군다나 민주정의 옹호자인 페리클레스는 귀족들의 회의인 아레오파고스를 견제하기 위해서 시민들의 회의인 50인 평의회를 강화시켰어.
귀족들의 힘을 눌러야 해!
사람은 모두 평등한 법!
그리고 대대로 귀족들만 맡아오던 최고 집정관(아르콘)직에 시민들도 오를 수 있게 만들었어.
머릿수로 밀어 붙여!
다수결의 원칙이 최고!
아르콘

상황이 이렇게 되자 그동안 정치적인 특권을 누려오던 귀족들 입장에서는 반가울 리 없었지.
이제 귀족과 평민의 차이가 거의 없어졌어.
평민들의 기세가 너무 커.
건방진 놈들.
전쟁이다! 스파르타가 쳐들어온다.
우르르~
엥?
한편 아테네와 스파르타가 그리스의 패권을 놓고 펠로폰네소스 전쟁에서 한판 승부를 겨루었는데
와아
쳇, 또 평민놈들이 날뛰겠군.
이대로는 못 살아! 차라리 스파르타의 편에 서겠어!
그래! 나도!
귀족들이 살기엔 스파르타가 더 편해!
아테네 귀족들의 대부분은 조국을 등지고 적의 편에 섰단다.
헉, 우리 편이 우릴 공격한다!
이제부터 우린 적이야.
두두두두
결국 이 전쟁은 스파르타의 승리로 끝이 났어.
하하하, 너무 쉽잖아?
내부가 분열된 나라는 정복하기 쉽거든.
스파르타는 아테네 사람들 중 자기들과 가까운 사람들을 아테네의 지도자로 내세웠어.
친한 네가 아테네를 관리해.
그래, 고마워.
이들이 바로 악명 높은 30인의 참주들이야.
하하하, 우린 스파르타 편을 든 귀족들이지.
우리가 법이야! 민주 정치? 그런 것 몰라!
찰싹 찰싹

30인의 참주들은 페리클레스가 귀족들의 힘을 제한하기 위해 만들었던 법을 모두 폐지하고, 민주파를 모조리 죽였단다.
이제 귀족들 세상이야.
민주주의여, 안녕.
이때 처형된 사람이 무려 1,500명 이상이었다고 하는데, 이 숫자는 펠로폰네소스 전쟁에서 죽은 아테네 시민의 숫자보다 많았다고 해.
30인의 참주 중에서 민주파를 가장 미워한 두 사람이 있었는데
난 크리티아스야.
난 사촌인 카르미데스.
우린 민주파가 너무 싫어!
이번에 뿌리를 뽑아 버리겠어!
이 두 사람은 플라톤의 외가 쪽 당숙이었어.
내가 사랑하는 가족들이야.
플라톤은 대대로 아테네 정계를 주름잡아 온 귀족 가문 출신이야.
뼈대 있는 가문이지.
그래서 어려서부터 비민주적인 세계관에 익숙해져 있었는지도 몰라.
우린 아주 특별한 사람들이란다.
하지만 참주들의 공포 정치는 오래 가지 못했어.
와 아 아~
응? 이게 무슨 소리지?
벌떡
1년 만에 시민들에 의해 반정이 일어난 거야.
귀족들 다 나와!
그동안 우리에게 한 짓을 그대로 갚아 줄 테다!
헉, 어··· 어느새···.
크리티아스와 카르미데스는 민주파에 의해 처형되고 말았지.

그 후 플라톤의 스승인 소크라테스도 민주파에 의해서 기소되었어.
죄인 소크라테스, 네 죄를 네가 알렷다!
죄명은 신에 대해 불경하고 젊은이들을 타락시킨다는 이유였지.
소크라테스, 사형!
옳은 판결이야.
헉!
소크라테스가 처형된 건 사실 다른 이유가 있었다는 얘기도 있어.
스승님은 죄가 없어!
소크라테스와의 토론으로 명예와 자존심을 다친 사람들이 복수심에 그를 재판대에 세운 거라는 거지.
제 의견에 반론하시겠습니까?
에이, 분하다.
당대의 유명한 논객들도 전부 소크라테스와 토론을 벌이고는 백기를 들었거든.
오늘은 그만하지요.
지적 호기심이 강한 명문가의 젊은이들은 권위 있는 사람들이 소크라테스에게 패배하는 모습을 흥미롭게 지켜보았어.
정말 대단한 연설이었어요.
훌륭하십니다, 스승님.
그러니 소크라테스에게 굴욕을 당한 이들이 앙갚음을 별렀는지도 모르지.
이런 망신이…. 두고 보자, 소크라테스.
사실이야 어쨌든 결과적으로 플라톤은 민주파에 의해 사랑하는 친척과 스승을 잃은 셈이야.
민주파는 모두 나의 원수….
민 주 파
그래서인지 플라톤의 이상국가는 조국인 아테네보다 적이었던 스파르타의 모습에 훨씬 가까워.
민주파가 설치는 아테네는 싫어.
아테네
스파르타
스파르타는 소수의 정복민이 다수의 피정복민을 다스리는 계급 사회였어.
힘없는 놈은 당연히 복종해야 해.

또한 아테네가 상업과 교역으로 재산을 모은 시민들이 정치에 참여하는 구조를 택했다면
자율 경쟁은 민주주의의 기본!
노력하면 평민도 부자가 될 수 있는 우리 아테네가 정말 좋아.
스파르타는 계급 질서가 흐트러지는 것을 막기 위해 상업과 교역을 억제하고 자급자족의 농업국을 택했지.
아테네를 부러워하기 시작하면 골치 아프다!
주변 국가들과의 교역 자체를 금지해야 해.
펠로폰네소스 전쟁의 와중에서 태어나고 자란 플라톤이 보아 온 조국 아테네는 식량 부족과 전염병, 무질서 등으로 혼란한 모습이었지.
내 거야, 내놔!
아냐, 내 거야.
아무리 전쟁 중이라지만 질서란 것은 찾아볼 수가 없구나.
플라톤은 여러 정치 체제들의 장단점을 분석했어.
모든 정치 체제와 정치가의 가장 큰 결점은 바로 무능력과 무지야.
집중
아테네 민주주의에 대한 문제의식도 아테네 정치의 무능력에서 출발하지.
강력한 지도자가 없으니 질서가 잡힐 리 없지.
질서
펠로폰네소스 전쟁에서 스파르타에게 졌으니 그런 생각이 더욱 강하게 들었을 거야.
정치만 잘했어도 귀족들이 나라를 배신하지는 않았어.
정치가도 기술자와 마찬가지로 자기 직업에 대한 전문성이 있어야 해!
불끈
플라톤은 환자에게 병에 대한 전문가가 필요한 것처럼 국가에도 정확한 지식에 바탕을 둔 전문 경영자가 필요하다고 생각했어.
처방은 의사에게!
국가는 전문 정치인에게!
당시 아테네 민주주의는 추첨에 의해서 공직을 할당했거든.
오늘은 추첨하는 날~ 추첨하러 갑시다.
우르르

그들은, 시민은 신분적으로 평등하기 때문에 공적 활동에도 똑같이 참여해야 한다고 생각했어.
우리의 차이는 단지 나이의 차이만 있을 뿐.
따라서 추첨이라는 방식이 모든 이에게 공평하게 기회를 주는 민주적인 방식이라고 생각한 거야.
이번엔 내가 시장이다.
축하해, 열심히 해.
짝
짝
정치는 아무나 할 수 없고, 아무나 해서도 안 되는데.
플라톤은 자신이 상상한 이상국가를 모든 정치 체제의 모범으로 여겼어.
이상국가
그래서 나중에 《법률》이라는 책에서 이 이상국가를 실현하기 위한 보다 자세한 처방을 그리고 있지.
법률
그러나 플라톤의 몇몇 주장들은 두고두고 비판의 대상이 되고 있어.
이건 아니라고 보는데?
뭐가?
특히 민주 정치를 타락한 국가의 형태로 보는 점 말이야.
귀족 출신이라 너무 편협한 것 같아.
어린 시절의 상처가 너무 큰 영향을 줬어.
그런데 대사상가들 중에는 플라톤 말고도 민주주의에 반대했던 이들이 의외로 많단다.
하하, 맞아. 우리 모두 민주주의에 반대했지.
공자
맹자
니체
슈펭글러
이들이 민주주의를 반대한 이유는 다음 기회에 알아보자고!
벌써 들여보낼 거 뭐하러 불렀어?
또 한편으로는 지금도 《국가》에 대한 찬사가 끊이지 않고 있어.
누가 뭐래도 《국가》는 위대한 책이야.
국가
이 책이 정치 철학의 기원으로서 중요한 문제들을 다루고 있어서야.
이상국가를 처음 논의한 책이라니까.

그의 책 곳곳에는 정치와 철학, 그리고 인간과 사회를 둘러싼 모든 문제들과 그에 대한 기지 넘치는 해답들이 들어 있어.
한 권으로 된 전 과목 참고서처럼 문제와 답이 이 안에 다 있지.
오늘날까지 두고두고 고전으로 꼽히며 사랑받는 이유로 충분하지?
고전
국가
사실 너희도 읽어 보면 알겠지만 좀 황당하고 우스꽝스런 대목도 많아.
민주주의가 나쁜 거라고? 하하하. 개그맨인가 봐.
플라톤이 제시하는 해법이 너무 단순하다는 것도 문제야.
간단한 게 좋잖아?
1+2=3
그럼에도 불구하고 우물쭈물 얼버무리지 않고 시원시원하게 결론을 내리는 방식은 마음에 들어.
길은 하나! 고민할 필요 없이 달리면 되는 거야!
부아앙
플라톤이 그린 이상 사회는 2500년이나 흘렀건만 아직도 실현될 낌새가 전혀 안 보여.
왜지? 왜지? 뭐가 문제지?
끼익
그거야 문제가 많으니까 그렇지.
그 '이상국가'는 말 그대로 '이상'일 뿐이라고.
그렇다고 손 놓고 하늘만 쳐다보고 있어야 할까?
아~ 몰라 몰라.
휙
우리가 해야 할 일은 그가 제시한 구체적인 실천 방안을 두고 갑론을박을 벌이는 것이 아니라, 그가 그린 이상국가를 우리의 현재에 대입해 보고, 문제 의식을 키우는 거란다.
이상국가

위대한 철학자 소크라테스

소크라테스.
고대 그리스의 철학자로서 플라톤이 가장 존경하는 스승이었다. 소크라테스 때부터 비로소 자신에 대한 물음이 철학의 주제가 되었다.

이 책의 주인공 소크라테스는 도대체 어떤 사람이었을까요? 소크라테스는 지금으로부터 약 2,500년 전인 기원전 469년에 태어나 기원전 399년에 세상을 떠났습니다. 소크라테스의 아버지는 조각가였고, 어머니는 아기를 낳는 일을 도와주는 산파였어요. 소크라테스의 외모는 그렇게 멋지지 않았습니다. 뚱뚱하고, 키가 작고, 눈은 튀어 나왔으며, 코는 들창코이고 입은 아주 컸다고 전해져요. 요즘 말로 하면, '얼짱', '몸짱'이었던 셈이지요. 하지만 사람들은 그의 지혜로움을 높이 샀어요. 소크라테스를 두고, '내면적으로 매우 훌륭하고, 당대에 가장 곧은 사람'이라고 했습니다.

소크라테스는 자연에 대한 연구도 많이 했으나, 나중에는 인간 문제에 관해서만 집중적인 관심을 기울였습니다. 그는 아테네의 거리와 시장 등에서 수많은 사람들과 깊이 있는 대화를 나누었는데, 주로 문답식을 즐겨 사용했습니다. 그가 즐겨했던 질문에는 '인간을 행복하게 하는 것은 무엇인가?', '착하다는 것

뚝딱
뚝딱
상상력
인내
신념

은 무엇인가?', '용기란 무엇인가?' 등이었어요. 그리스의 청년들은 소크라테스의 지혜로움에 매료되었고, 그의 주위에는 항상 많은 사람들이 모여들었습니다. 그중 하나가 플라톤이었어요.

하지만 펠로폰네소스 전쟁이 끝난 후, 사람들은 '신에 대하여 불경하며, 청년을 타락시킨다.'는 죄목으로 소크라테스를 사형시켰습니다. 당시에 제자들은 이런 말도 안 되는 악법은 따를 필요가 없으니, 도망치라고 강력하게 권했지만 소크라테스는 반대했어요. 그리고 결국 '악법도 법이다.'라는 말을 남기고 의연하게 최후를 맞이했습니다.

소크라테스는 서구 문명의 철학적 기초를 마련한 위대한 철학자로 손꼽히는 사람입니다. 소크라테스 이전의 고대 그리스 철학자들의 주된 관심사는 우주의 근본 원리와 자연이었는데, 소크라테스는 인간을 철학의 주된 주제로 삼았고, 그 후 인간은 철학의 가장 중요한 주제가 되었어요. 소크라테스는 도덕적 가치가 땅에 떨어진 펠로폰네소스 전쟁의 혼란기를 살면서 항상 '너 자신을 알라.'는 충고를 던졌고, 인간 도덕의 의미에 대한 연구를 통해 사람들을 올바른 생활로 이끌어가려고 노력했습니다.

독배를 마시는 소크라테스 (1787년 다비드 작)

사랑하는 나의 남편 소크라테스에게

당신이 독이 든 잔을 마시며 죽어가던 모습이 아직도 눈앞에 어른거려요. 제가 그 잔을 마시지 말라고 큰소리를 치고 엉엉 울자, 당신은 제자를 시켜 저를 밖으로 내쫓았지요? 그때 곁에 있어 주지 못한 일이 내내 마음에 걸립니다.

세상 사람들이 저를 두고, 악처라고 놀리는 거 알고 있어요. 하지만 그 소리를 듣고 정말 억울했어요.

차라리 직업이 석수장이라면 열심히 돌을 다듬어서 아들 셋을 잘 키울 생각만 할 텐데, 당신은 도대체 뭘 했나요? 일에는 관심이 없고, 날마다 사람들과 철학을 논한답시고 거리를 싸돌아다녔잖아요. 물론 다른 소피스트들처럼 돈을 받고 가르치는 일을 했다면 저도 당신을 충분히 이해했을 거예요. 하지만 당신은 공짜로 지혜를 팔았고, 또 잘난 척만 했지요. 그런 당신의 모습이 제 눈에는 그저 게으른 한량으로만 보였답니다. 아이들은 자꾸 커가는데, 먹을 것은 없고….

저 혼자 감당하기에는 너무 벅찼어요.

게다가 결혼을 앞둔 어떤 청년이 "결혼을 하는 게 좋을까요? 하지 않는 게 좋을까요?" 라고 질문했을 때, 당신은 "결혼은 하는 게 좋다. 좋은 아내를 만나면 행복해질 테고, 나쁜 아내를 만나면 철학자

가 될 테니까." 라고 말했지요. 그 후로 저는 세상 사람들에게 악처로 낙인찍히고 말았고 그 때문에 화가 치밀어 오른 저는 큰 실수를 했지요.

우리가 한창 부부 싸움을 할 때였어요. 물론 제가 일방적으로 소리를 질렀을 거예요. 화가 나면 참을 수 없는 성격이니까요. 그런데 당신은 능글거리며 실실 웃기만 하고, 아무런 대꾸를 하지 않았어요. 그런 당신이 너무 미워서 저는 부엌에 있던 구정물이 담긴 양동이를 당신 머리에 쏟고 말았지요. 웬만한 사내 같으면 정말 참을 수 없는 일이었을 텐데 당신은 화를 내기는커녕 입가에 잔잔히 미소를 띠우며 태연히 말했지요. "천둥이 친 후에는 비가 오는 법이지. 그건 자연의 진리라네!" 라고요. 그 말을 듣고 사실 많이 미안했지만, 이미 엎질러진 구정물이고 자존심이 생명이었던 저는 결국 사과하지 못했어요. 지금 생각하면, 당신의 깊은 지혜를 헤아리지 못하고, 가정만 돌보기를 바랐던 저의 생각이 짧았던 것 같아요. 무슨 일이 있어도 세 아들은 열심히 키울 거예요. 그래서 당신처럼 지혜롭고, 많은 이들이 존경하는 학자로 키우겠어요. 하지만 가정과 아내를 생각하는 마음도 함께 불어넣어 줄 거예요. 다시는 저와 같은 평범한 여자가 악처가 되지 않도록요.

당신을 만날 날을
기다리며 ….
크산티페가.

소크라테스에게 구정물을 붓고 있는 크산티페.
크산티페는 역사에 남을 악처로 알려져 있다.

제 2 장
철학자 플라톤
플라톤이 철학자고 옛날 사람이다 보니,
고리타분하고 재미없는 사람이라고 생각하겠지?
하~
품~
그런 편견은 버려! 그가 쓴 책들을 읽어 보면,
재미있는 농담이 얼마나 많이 나오는데?
난 재미있고, 재치 넘치는 사람이거든.
그가 우리가 좋아하는 민주주의를 싫어한다고 해서,
민주주의를 지키는 우리가 바보라는 거야?
우리 같은 대중들을 그가 별로 어여삐 여기지 않았다고 해서
특권층 출신이라 편협해.
흥-
혹, 섭섭한 마음을 품고 있다면, 얼른 마음을 풀도록!
자자~, 마음을 풀고 화해합시다.
!

플라톤의 사상에 대하여 이러쿵저러쿵
비판이 많은 것은 사실이지만,
꿈만 야무졌어.
이상국가는 그렇다치고 민주국가를 싫어하다니.
문제가 많은 철학자야.
그것은 그만큼 플라톤이 인류 전체에 크나큰 영향을
미쳤음을 말해 주는 것 아니겠니?
뭐… 위대한 철학자라는 건 인정해야지.
끄덕 끄덕
그러니까 지금까지도 토론되는 거겠지.
플라톤의 본명은 아리스토클레스
(Aristocles)야.
좀 길~지?
아리스토클레스
그는 아테네가 고대 그리스에서
정치적으로 최고의 권위를
누리고 있던 때인 기원전 428년
무렵에 태어났어.
응애
아버지인 아리스톤은 아테네의 마지막
왕 코드로스의 혈통이었고
오오~
수고했소, 부인.
애
앵
어머니 페리크티오네는
위대한 정치가인
솔론의 후예였어.
호호~
뭐, 보통이죠.
이러한 혈통으로 인해 그는
태어날 때부터 이미 장래가 결정된 거나
마찬가지였어.
뒤뚱 뒤뚱
한마디로 정치가의 핏줄이란 거지.
정치가의 길
플라톤은
체격이 건장했다고 해.
레슬링 대회에서 3번이나 우승했을 정도야.
기병으로 전쟁에 3번 참가하여
훈장도 받았다는군.
달려!
어깨와 이마가 넓었다는
얘기도 있고
공짜를 좋아하진 않았는데, 하하!
공짜
문학에 소질이 있어
호메로스 같은 시인의 작품을
열심히 공부했다는 얘기도
전해지지.
金

그는 20살 때, 과두 정권을 이끌던 외당숙, 크리티아스와 카르미데스를 통해 소크라테스를 알게 되었고
플라톤이라고 합니다.
오, 그래.
그의 문하에 들어가 철학을 공부하게 됐어.
스승님~!
어서 오너라.
그리고 소크라테스가 장려하던 토론에 열심히 참여했어.
반론이 있으면 얘기해 보시오.
당시 아테네는 정치가 모든 것의 중심이었기 때문에 귀족은 당연히 정치에 관심을 두었어.
플라톤 역시, 정치가로서 성공할 수 있는 여러 조건들을 갖추고 있었지.
일단 귀족이라는 신분부터 그랬지.
혼란에 빠진 아테네를 구하기 위해 정치에 뛰어들고자 했어.
좋은 정치를 해야 혼란스러운 나라의 질서를 바로 잡을 수 있을 테니까.
정 치
그는 소크라테스와의 운명적 만남을 통해 철학의 세계에 들어서었어.
어서 오너라. 이곳이 바로 새로운 철학의 세계란다.
좋은 정치를 위해서 무엇이 옳은지를 알아야 했지만, 그에게는 넓은 어깨만 있었지, 지식은 없었거든.
네가 가고자 하는 길은 어느 곳이냐?
예?
이 '무지'를 깨닫는 것이 바로 철학의 시작이란다.
아, 그동안 나는 너무나 아는 것이 없었구나.

그러나 인생에는 전환점이라는 게 있는 모양이야.
막다른 길 돌아가시오.
헉!
소크라테스, 널 체포한다!
소크라테스, 사형!
쾅
쾅
아테네 시민 500명으로 구성된 법정이 소크라테스에게 사형 선고를 내리는 것을 목격한 플라톤은 정치에 대한 관심을 딱 끊었어.
와-아
스승님….
이때 그의 나이 28세야.
이럴 수가, 이건 너무 부당한 일이야.
소크라테스의 죽음은 플라톤에게 '어떻게 하면 정의로운 국가를 실현할 수 있을까?'라는 고민을 안겨 주었어.
대중에 의한 독재를 막을 수 있는 이상적인 국가를 찾아야 해.
이상국가
플라톤은 정의로운 국가의 가능성을 정치가 아니라 교육에서 찾기 시작했단다.
내가 해야 할 일은 정치가 아니라 진정한 교육이야!
스승님인 소크라테스만이 진정한 철학자이셨어.
플라톤은 본격적인 철학의 길을 걷기로 결심했어.
스승님의 뜻을 따르는 것, 그것이 내가 가야 할 길이야.
그렇게 플라톤은 아테네를 떠났지.

소크라테스의 죽음은 제자 플라톤의 앞날을 완전히 바꿔 놓았어.
정치가 아니라 철학!
휙
하지만 정작 소크라테스는 죽음을 앞두고 엉뚱한 유언을 남겼지.
스승님~.
그 속에 깃든 심오한 의미를 얼른 깨달아야 할 텐데….
자네들에게 부탁하고 싶은 말이 있다네.
말씀하십시오, 스승님.
필기 준비도 다 했습니다.
우리가 이스쿨라피우스에게 수탉 한 마리 값을 치르지 않은 것이 있다네. 잊지 말고 갚아 주게.
예?
이것이 기원전 399년, 독배를 마시고 온 몸이 굳어가던 소크라테스가 마지막으로 남긴 말이야.
스승님~ 크흐흑….
플라톤은 스승의 이 유언을 잊지 않고 기록으로 남겼단다.
스승님이 단지 갚지 않은 닭 값이 가슴에 사무쳐서 하신 말씀이 아닐 거야.
뭔가 심오한 뜻이 있는 게 분명해.
나중에 제자들이 닭 값을 갚았는지, 모른 척했는지는 확인되지 않아!
십시일반 모아서 갚지 않았을까?
어쨌든, 이 일을 계기로 아테네를 떠난 플라톤이
내 길을 가련다.
그 후 마흔 살이 될 때까지 어떻게 살았는지에 대해서는 기록이 별로 남아 있지 않아.
28→40 = ??

처음 3년간은 친구들과 함께 그리스의 메가라에 머물렀고, 이후 이집트 등을 여행했다는 정도의 이야기만 전하고 있어.
이 당시 여행은 철학자들의 필수 코스였지.
그리고 이 시기에 피타고라스, 테오도로스와 같은 학자들을 접하며 그의 유명한 이데아론을 발전시켰어.
피타고라스 선생님, 많은 가르침 바랍니다.
꾸벅
플라톤 하면 이 이데아론을 빼놓을 수 없지.
이데아와 플라톤은 동의어나 마찬가지야.
이데아 = 플라톤
그에게 이데아란, 보이는 현실 세계 너머에 있는 원형(原形)이야.
우리가 보고 느끼는 세계는 단지 이데아의 모상*(模像)이라는 말이야.
말이 너무 어렵지? 예를 들어 볼게.

***모상** – 모방하여 만든 형상

여기에 초상화가 있어.
초상화가 모델을 그린 그림이라는 건 알지?
모델이 없었다면 초상화는 나올 수 없었겠지?
모델이 된 인물이 바로 원형, 곧 이데아야.
후 후
그 인물을 그려 놓은 초상화가 바로 현실이고, 현실은 모델인 이데아를 그대로 본뜬 거지.
음~ 마음에 들어. 정말 똑같이도 그렸네, 호호.
이러한 이데아들은 오로지 사유의 세계에서만 파악될 수 있다고 해.
보거나 느낄 수 있는 게 아니라 머릿속으로만 알 수 있다는 거야.
결국 인간의 감각을 통해서 느낄 수 있는 모든 것은 가짜이므로 진리의 원천이 될 수 없고, 볼 수 없는 이데아가 진리라는 거야.
저 산 너머에 이데아가 있단다.
진짜요? 안 보이는데요?

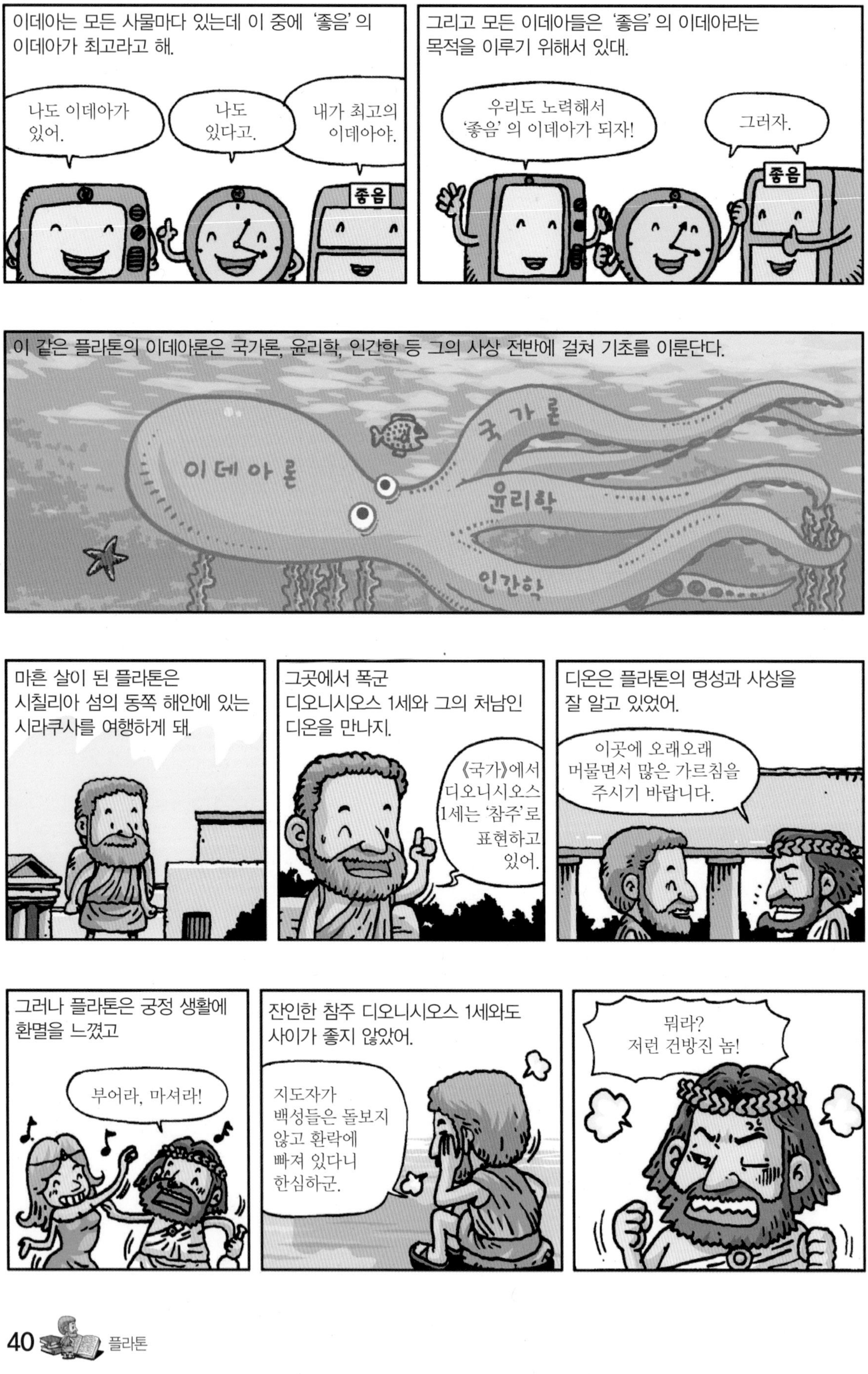
이데아는 모든 사물마다 있는데 이 중에 '좋음'의 이데아가 최고라고 해.
나도 이데아가 있어.
나도 있다고.
내가 최고의 이데아야.
좋음
그리고 모든 이데아들은 '좋음'의 이데아라는 목적을 이루기 위해서 있대.
우리도 노력해서 '좋음'의 이데아가 되자!
그러자.
좋음
이 같은 플라톤의 이데아론은 국가론, 윤리학, 인간학 등 그의 사상 전반에 걸쳐 기초를 이룬단다.
이데아론
국가론
윤리학
인간학
마흔 살이 된 플라톤은 시칠리아 섬의 동쪽 해안에 있는 시라쿠사를 여행하게 돼.
그곳에서 폭군 디오니시오스 1세와 그의 처남인 디온을 만나지.
《국가》에서 디오니시오스 1세는 '참주'로 표현하고 있어.
디온은 플라톤의 명성과 사상을 잘 알고 있었어.
이곳에 오래오래 머물면서 많은 가르침을 주시기 바랍니다.
그러나 플라톤은 궁정 생활에 환멸을 느꼈고
부어라, 마셔라!
잔인한 참주 디오니시오스 1세와도 사이가 좋지 않았어.
지도자가 백성들은 돌보지 않고 환락에 빠져 있다니 한심하군.
뭐라? 저런 건방진 놈!

결국 디오니시오스 1세는 플라톤을 노예 시장에 내다 팔라고 명령했고
그는 밧줄에 묶여 스파르타 사람들의 배에 실려 가는 신세가 되고 말았지.
아니, 플라톤 선생 아니십니까?
아! 자네….
어쩌다 이 험한 꼴을 당하신 겁니까?
얘기하자면 사연이 길다네.
다행히 아는 사람의 도움을 받은 플라톤은 그 길로 아테네로 돌아왔어.
팔자에 없는 노예 생활을 할 뻔했군. 이제 조용히 책을 쓰고 철학 연구에 열중해야지.
그가 남긴 대화편 가운데 초기의 작품은 이 시기에 쓰인 것으로 보면 돼.
그리고 마흔두 살 무렵에
나도 스승님과 마찬가지로 제자를 키워야겠어.
학문 활동의 본거지가 되는 아카데메이아를 세웠어.
두 둥
아카데메이아
아카데메이아는 아테네 서북쪽 교외에 있는, 영웅 아카데모스에게 제사 드리는 성역에 지어졌어.
아테네의 네 학교들 중에서 가장 먼저 세워졌고, 중요성에 있어서도 가장 으뜸 가는 곳이었지.
난 뭐든 최초, 최고가 아니면 안 한다니까.

그 후 '아카데미'라는 말은 문학, 과학, 미술 등의 연구를 주로 하는 단체나 학교를 뜻하게 되었어.
현대에 흔히 보는 '아카데미' 란 말이 어디서 온 것인지 이제 알겠지?
아 카 데 미
DEMY
아리스토텔레스도 열일곱 살 때 들어와 플라톤의 제자가 되어 20년 동안이나 공부했단다.
플라톤은 아카데메이아에서 철학적 문제에 관해 강의도 하고, 토론을 장려하기도 했어.
그리고 책도 열심히 썼단다.
이때부터 60세에 이르기까지 쓴 것들을 보통 중기 대화편으로 분리해.
플라톤이 60세가 되던 해
편지요.
웬 편지?
시라쿠사에서는 디오니시오스 2세가 아버지의 뒤를 이어 왕이 됐어.
디온은 조카인 젊은 참주에게 철인 사상을 심어 주고자 했지.
플라톤 선생에게, 오랜만입니다.
플라톤이 제시한 이상국가를 시라쿠사에서 실현해 보자고 제안한 거야.
제발 오셔서 가르침을 주십시오.
플라톤은 한참을 갈등했어.
과연 그곳에서 이상국가가 실현될 수 있을까?
그 자신도 그의 이상국가가 실현되기 어렵다는 것을 잘 알고 있었어.
하지만 실현할 수 있는 기회를 모른 척할 수는 없는 일이야!

플라톤은 마침내 결심을 하고 시라쿠사로 갔어.
일단 해 보는 거야.
시라쿠사
그러나 이미 그곳은 온갖 정치적 음모와 술수로 가득 차 있었지.
소근
소근
그가 도착한 지 넉 달 만에 디온은 모반 혐의로 추방당하고 말았어.
역적 디온, 추방!
뻥
물론 젊은 참주는 철인 사상에 별로 관심이 없었지.
철인이고 철학이고 관심 없어.
플라톤은 어정쩡한 입장에 처하고 만 거야.
날 불러들인 디온은 추방되고, 왕은 관심도 없고….
그때 마침 시칠리아에서 전쟁이 일어났어.
와- 와
좋은 기회라고 생각한 플라톤은 한마디를 남기고 급히 아테네로 돌아왔어.
국정이 안정되면 디온과 저를 다시 불러 주십시오.
으아악-!
4년 후 플라톤은 다시 시라쿠사로 갔지만, 디오니시우스 2세의 행태는 여전히 철인 통치와는 거리가 멀었어.
안녕하십니까, 오랜만입니다.
어~ 하품나는 철학자시구먼. 어쩐 일인가?
이런, 4년간 변한 게 하나도 없군.
크게 실망한 플라톤은 다시 아테네로 돌아왔어.
여기에 있을 이유가 없어.
그는 시라쿠사에서 번번이 시간만 허비한 셈이 되었어.
철인 통치론이 실현되는 걸 보긴 다 틀린 것 같군.
후

그 후 13년 동안 플라톤은 열심히 학문을 펼쳤어.
이 마지막 시기에 쓴 대화편들을 후기 저술로 본단다.
내 마지막 열정을 다 쏟아 부으리.
대화편 중 마지막 책이자 최대 분량인 《법률》도 이때 완성되지.
오랜 세월이 흐른 뒤 드디어 나의 노력이 결실을 맺는구나.
그는 80세의 임종 때까지 제자들을 가르치다가 아카데미아에 묻혔어. 그때가 B.C. 347년이야.
그는 가능한 많은 사람들에게 자신의 학설을 전달하고 싶어서 많은 책들을 남겼는데, 현재까지 거의 그대로 보존되고 있어.
많은 사람들에게 읽히고 싶었던 소망은 이룬 셈이지?
그의 저술은 시기에 따라 크게 초 · 중 · 후로 나뉘는데
초기에는 스승인 소크라테스의 생각을 그대로 전하는 경향이 강해.
중기에는 자신의 생각을 드러내면서 '이데아론'을 전개하고
스승님의 생각에 나의 생각을 대입하기 시작한 거지.
이데아
후기에는 '이데아론'을 재검토하고 재구성하고 있지.
총체적인 정리라고 할까?
특히 소크라테스의 재판 장면을 적은 《소크라테스의 변명》, 죽음에 직면한 철학자의 태도를 묘사한 《파이돈》, 《향연》 등은 모두 뛰어난 작품들이야.
《향연》의 원 제목은 '심포지엄'인데, 지금의 심포지엄은 심각한 얼굴로 논문을 뒤적거리며 토론을 펼치는 자리를 의미하지만
원래는 술과 음식을 나누면서 대화를 나누는 자리를 뜻해.

사상도 사상이지만, 플라톤은 글 솜씨도 뛰어났어.
나는 일찍이 극작가가 되기를 꿈꿨을 정도로 시적 영감과 상상력이 풍부했단다.
너무 아름다워…
이런 그의 문학적 성향은 그의 문장 곳곳에 스며들어, 그가 남긴 대화편들은 서양 문학 사상의 걸작으로 꼽히고 있어.
이것은 단지 철학책이라고 하기엔 너무나 재미있지 않습니까?
맞아요. 플라톤의 재치가 돋보이는 저서들입니다.
그의 책 《테아이테토스》를 예로 들어 볼까?
이 책의 주인공 역시 나, 소크라테스지.
주연
소크라테스가 유명한 수학자인 테오도로스로부터 그의 제자 테아이테토스를 소개받는 장면에서 시작되는데…
저의 애제자라서 하는 말이 아니라 아주 총명한 젊은이지요.
테오도로스는 자신의 제자가 소크라테스처럼 들창코에 방울눈을 하고 있으니 그의 외모 때문에 이런 칭찬을 하는 것이 아니라고 말하지.
척~ 보기에 천재로 보이지 않습니까?
소크라테스는 못생긴 걸로 유명했기 때문에, 이 말을 듣고 그가 자신의 외모를 갖고 놀렸다는 걸 알았지.
그래, 나 못생겼다.
이리, 내 옆에 앉게나.
예.
나를 닮았다고 하니 자네를 보면 내가 어떻게 생겼는지 알 수 있겠군.
예?
과연 누가 무엇을 닮았다고 한다면, 그냥 그 말을 무턱대고 믿어야겠는가? 아니면 그 말을 한 사람이 그 방면의 전문가인지를 먼저 따져 봐야겠는가?

이 질문은 곧 '누가 무엇을 안다는 것이 무엇인가?' 하는 질문으로 이어지지.
질문, 질문, 질문, 질문, 질문….
모르겠어요.
그리하여 《테아이테토스》편은 인식론의 문제를 심도 있게 다루는 골치 아픈 대화편으로 꼽힌단다.
커흐흑~ 머리 아파요~. 제가 뭘 잘못했냐고요~.
이 이야기를 보면 농담을 철학적 문제로 이끌어가는 솜씨도 놀랍지만
농담 속에 뼈가 있어요, 크흑.
농담
자신을 놀리는 말에 화내지 않고 농담으로 응수하는 재치도 보통이 아니야.
하하, 그러게 왜 날 놀려.
여기서 등장인물은 소크라테스지만 이 글을 쓴 사람은 플라톤이므로
나 플라톤의 성향이 강하게 들어갔다고 할 수 있지.
물론 플라톤의 다른 대화편에도 이런 종류의 농담들이 거의 빠짐없이 들어 있어서 읽는 재미를 준단다.
하하하, 철학은 하품나고 지루한 것인 줄 알았는데!
플라톤의 책은 너무 재미있어.
한편으로 플라톤은 아주 엄격한 원칙주의자이기도 해.
《국가》에서 이상국가에는 시인이 필요없다는 결론이 내려졌어! 난 바로 행동으로 옮겼지.
시인들
시인 호메로스를 비판하고 시인들을 나라에서 추방하기로 결정했어.
시인들 다 나가!
뻥
시는 아름답기는 하지만 실제로 존재하는 세계를 있는 그대로 드러내는 것이 아니고
너무 포장에만 치중했어.
시집
젊은이들이 자칫 그 아름다움에 현혹돼 이성을 그르칠 우려가 있다는 이유에서야.
아름다움을 추구하는 게 나쁜 건가요?
쯧쯧… 이미 이성을 잃었군.

또한 그는 남녀의 능력은 동등하다는 파격적인 주장도 펼쳤지.
당시 아테네의 남존여비 사상은 아주 엄격했거든.
조선시대보다 더 했을걸?
이는 그가 특별히 여성의 인권에 관심이 있어서는 아니었어.
난 단지 남자가 여자보다 능력이 더 뛰어나다는 근거를 찾지 못했을 뿐이야.
이렇게 그는 자신의 철학적 원칙과 그 결론에 엄격한 사람이었고, 또한 철학을 실천하는 데도 엄격했어.
충분한 고민 끝에 내린 결론이야! 완벽한 결론엔 완벽한 실천이 필수야!
원래 정치적 야망을 갖고 있었고 의지에 불탔던 플라톤은
좋은 정치가가 되리라!
일생을 통하여 소크라테스의 감화를 받았지.
스승님이 좀 더 사셨다면 더 큰 배움을 받았을 텐데….
플라톤은 주저없이 소크라테스를 '이 시대의 가장 의로운 사람'으로 꼽았지.
스승님 최고~!
고맙다 내 제자.
소크라테스는 직접 남긴 것이 적어서 플라톤을 통해서만 접근할 수 있어.
내가 미처 남긴 저서가 없으니….
제자 플라톤을 통해 인류의 영원한 스승으로 자리잡게 된 거야.
나의 손과 머리를 통해 스승님의 철학을 널리 퍼뜨리리라.
하지만 플라톤이 소크라테스의 제자가 아니었다고 보는 사람들도 있어.
아니~ 왜?

'7번째 편지'에서 플라톤이 소크라테스를 가리켜 '스승'이 아니라, 존경하는 연상의 '친구'라고 했기 때문이지.
친구? 스승을 이렇게 표현할 수는 없는 거잖아?
그… 그러게요.
하지만 이 부분을 확인할 방법은 없으니 그냥 넘어가기로 하자.
내가 왜 그랬을까? 하하.
그러면 플라톤 자신의 제자들은 어땠을까?
나에게도 훌륭한 제자가 있었지.
아리스토텔레스를 얘기하지 않을 수 없어.
플라톤의 수제자로 가장 널리 알려진 게 바로 나니까.
이 세 사람의 계통은 명확해.
난 소크라테스.
난 그의 제자 플라톤.
난 그의 제자의 제자 아리스토텔레스.
소크라테스가 가난한 시민이었고
플라톤이 몰락한 귀족 정치가 집안 출신이었다면
아리스토텔레스는 당대 최고 권력자들의 친구이자 스승이었단다.
내가 제일 잘 나간 것 같지?
17살의 아리스토텔레스는 이미 54세가 된 대철학자 플라톤을 만나지.
두 사람의 관계는 플라톤이 죽을 때까지 20년 동안 계속돼.
아리스토텔레스의 정신 세계는 플라톤에 의해 형성되었다고 해도 과언이 아닐 정도야.
스승님의 스승님이 그랬던 것처럼요.

아리스토텔레스는 동료들의 칭찬을 한몸에 받는 학생이었고, 플라톤 역시 그의 학문적 정열을 높이 평가했다고 해.
내 생각은 이래!
그러나 그의 취향은 스승과는 많이 달랐어.
헉, 나의 영향을 많이 받았다면서?
영향하고 취향은 엄연히 다르죠.
플라톤이 수학을 중시하고 현실이 아닌 이상을 동경했다면
이데아를 찾아야 해.
아리스토텔레스는 자연 과학에 많은 관심을 가졌어.
난 현실 속에서 이상을 찾으려고 노력했지.
이것은 둘 사이의 결정적인 차이야. 그래서인지 둘 사이에는 보이지 않는 갈등이 있었다고 해.
아리스토텔레스는 아버지로부터 상당한 재산을 물려받아서 풍족하게 살았어.
워낙 책벌레였던 그는 책을 모으는 데 아낌없이 돈을 썼지.
이것도 사고~ 저것도 사고~.
그런데 플라톤은 자기보다 부유하고 더 많은 책을 갖고 있는 제자가 부러웠나 봐.
플라톤은 책에 의존하면 기억력이 떨어진다며 장서 수집을 비판했다지?
책만 많이 쌓아 둔다고 저절로 지식이 느는 줄 아나?
아리스토텔레스도 이에 지지 않고 맞받아쳤지.
스승님은 늙은 염소처럼 지혜가 빠져나가시는 모양이네요.
뭐?
어찌보면 스승에게 버릇없는 제자처럼 보이기도 하지?
헉, 그… 그런가?

하지만 아리스토텔레스는 플라톤의 생전에 스승과 다른 견해를 내놓기는 했지만 스승을 배신한 적은 없어.
나는 진심으로 스승인 플라톤을 따르고 존경했어.
그러나 플라톤의 죽음은 아리스토텔레스가 스승을 벗어나는 계기가 되었단다.
스승님… 이제 제 길을 가겠습니다.
플라톤 사망 후, 42세가 된 아리스토텔레스는 마케도니아의 왕에게 초청을 받게 돼.
열세 살짜리 왕자를 가르쳐 달라고?
그는 왕의 초청을 받아들여 마케도니아에서 3년간 왕자를 가르쳤지.
그 아이가 바로 알렉산드로스 대왕이야.
내가 마케도니아, 그리스, 페르시아, 이집트, 북인도에 걸쳐 대제국을 세운 위대한 왕인 거 다들 알지?
알렉산드로스를 가르치고 나서 아테네에 돌아온 그는 아카데메이아와 결별하고 자신의 학교를 세웠어.
이것이 바로 리케이온이야.
이 리케이온에는 그가 평생 모은 장서들이 보관되었는데 얼마나 많았던지, 아테네의 공공 도서관 구실을 할 정도였다고 해.
그리고 그는 플라톤과 완전히 결별하여 자신만의 철학 세계를 열어 나갔어.
스승님과는 많이 달랐으니 다른 철학이 나오는 게 당연해.
스승은 제자를 열심히 가르치고, 제자는 스승으로부터 벗어나 자신의 학문을 더욱 발전시킨 거야.
이런 게 훌륭한 스승과 제자의 관계라는 거야.
만일 제자가 스승의 말을 앵무새처럼 따라하기만 한다면 그 학문은 항상 제자리걸음이겠지?
그런 제자라면 키우는 보람이 없지.
그럼요.

아참, 이슬람교도들이 플라톤과 아리스토텔레스의 사상을 기록으로 남겼다가 유럽 사람들에게 전해 주었다는 사실도 잊지 마!
유럽
플라톤의 철학은 인간에서부터 전 우주에 이르는 사유의 영역들까지 다양하고, 이전의 서로 다른 철학 사상들까지 포용하여 통일했어.
이데아
특히 나의 이데아론은 철학사를 지배한 사상이기도 하지.
철학사
그러나 전체주의적 정치 체제를 비판하고, '열린사회'의 중요성을 강조한 과학 철학자 '칼 포퍼'는 플라톤을 맹렬히 비판했단다.
플라톤으로 시작된 유토피아적 공상이 헤겔과 마르크스로 이어지면서, 이상사회 건설이라는 이념이 엉뚱하게도 인류에게 불행을 초래했지!
플라톤이 말하는 이상국가는 내가 보기엔 '철저하게 닫힌 사회'였어!
출입금지
그러나 우리가 앞으로 학교에서 배우게 될 다양한 학문들의 기원을 찾아 거슬러 올라가면 반드시 플라톤을 만나게 된단다.
어라? 다른 길로 왔는데 한 군데서 만나네?
플라톤
그러게… 여기가 바로 학문의 근원지였어.
플라톤은 서양철학의 기본적인 틀을 만든 사람이야.
뚝딱
무엇이든 기초가 가장 중요한 거야.
뚝딱
2500년이 지난 지금의 현대 철학도 그로부터 크게 벗어나 있지 않아. 영국 철학자 화이트헤드가 이렇게 말했을 정도니까.
서양의 2000년 철학은 모두 플라톤에 대한 주석에 불과하다!
플라톤은 아주 오래 전에 살았던 사람이지만 그와 그의 사상은 여전히 현재, 이 세계에 살아 있어.
나는 죽었지만 나의 사상은 아직도 생생히 살아 있는 셈이야.
이데아

시라쿠사와 아르키메데스

플라톤, 고대 그리스의 철학자이다. 이데아를 통해 존재의 근원을 밝히고자 했다. 그는 마흔 살에 시라쿠사로 여행을 떠났다.

시라쿠사는 플라톤에게 많은 영향을 준 도시입니다. 플라톤은 시라쿠사에서 폭군 디오니시오스 1세를 만나,국가의 중요성에 대해 많은 생각을 했어요.

시라쿠사는 이탈리아 시칠리아섬에 있는 도시입니다. 한때 로마의 위대한 정치가였던 키케로가 고대 그리스 세계에서 가장 아름다운 도시라 칭송했던 곳이지요.

기원전 734년 무렵, 인구가 많이 늘어 새로운 땅을 원했던 고대 그리스의 코린트 인들은 지중해에 배를 띄우고 여러 곳을 살피던 중 시칠리아 섬을 발견했습니다. 그들은 단번에 시칠리아 섬을 침범하고, 이곳에 그리스 최초의 식민 도시인 시라쿠사를 건설합니다. 코린트인들은 평화롭게 살던 원주민들을 농사짓는 노예로 삼고, 자신들은 지주요, 귀족이 되어 시라쿠사 지역 일대를 다스렸어요. 기원전 480년 무렵에는 참주 겔론이 카르타고 군대의 침입을 무찌른 후 그리스 도시 국가 사이에서 꽤 큰 세력을 떨칩니다. 그러다가 시라쿠사는 기원전 3세기 무렵 시작된 포에니 전쟁의 중심지가 되었다가, 결국 로마에게 나

라를 빼앗겨 그 후 로마의 통치를 받게 됩니다.

과학자 아르키메데스

시라쿠사는 고대 그리스의 위대한 과학자였던 아르키메데스의 고향이며 그가 죽은 곳이기도 합니다. 목욕탕에서 부력의 원리를 발견하고는, '유레카!' 라고 외치며 벌거벗은 몸으로 거리를 뛰어다녔던 그 과학자 말이에요.

제2차 포에니 전쟁 때 아르키메데스는 조국인 시라쿠사를 위하여 뛰어난 머리로 투석기와 기중기를 개발하여 로마군과 싸우는 데 많은 도움을 줍니다. 하지만 결국 로마의 힘에 밀려 패하고 말았지요. 시라쿠사가 함락되던 날, 아르키메데스는 자기 집 마당에서 기하학 문제를 풀고 있었어요. 아르키메데스는 다가오는 그림자가 로마 병사인 줄도 모르고 자신이 그린 도형이 망가진다고 물러서라며 야단을 치다가, 화가 난 병사에게 생명을 잃고 맙니다. 로마 군인들이 전리품으로 시라쿠사에서 탈취해 간 각종 예술품들은 로마 시민들을 놀라게 합니다. 당연히 그 예술품들은 로마의 문명에 큰 영향을 끼칩니다.

시라쿠사에 남아 있는 로마 원형 극장.

로마 점령 시대에 많은 로마 인들이 시라쿠사에 들어와 그들의 문화적 유산을 남겼다.

제3장 올바름이란 무엇인가?

플라톤이 지은 《국가》라는 책은 대화체로 되어 있어.
이 책들을 '대화편' 이라고 부른다고 했었지?
그래서 여러 사람들의 이름이 등장하는데, 이름이 조금 어렵단다.
자, 지금부터 중요 인물들을 순서대로 간단히 소개할 테니 한 명씩 앞으로 나오세요.
와글! 대기실 !와글
제일 먼저 소크라테스!
안녕, 난 이 책을 쓴 플라톤의 스승이며, '너 자신을 알라.', '악법도 법이다.' 라는 말을 했던 유명한 그리스의 철학자 소크라테스야.

다음으로 케팔로스.
난 시라쿠사 출신으로 아테네에서 약 30년 동안 방패 만드는 공장을 운영하여 돈을 꽤 많이 번 사람이야.
현재 이 사람의 집에서 대화가 이루어지고 있는 거야.
그리고 폴레마르코스.
난 케팔로스의 큰아들이야.
소크라테스를 매우 존경하는 추종자 중의 하나야.
항상 존경합니다, 선생님.
하지만 나중에 30인 과두 정권에 의해 처형당하고 말아.
트라시마코스.
난 유명한 소피스트야.
소피스트는 기원전 5세기 무렵부터 그리스 지역에서 여러 가지 분야의 교양이나 특히 변론술을 가르치는 일을 하던 사람들을 말해.
《국가》 제1권에서 가장 많이 등장하는 인물이지.
아데이만토스와 글라우콘.
우린 플라톤의 형들이지.
어떤 사람들은 글라우콘을 큰형으로 보지만
8장에서 우리 두 사람의 대화를 잘 살펴보면…
8장
나 아데이만토스가 큰형!
나 글라우콘이 작은형이야.

자, 중요한 등장인물들을 간단히 소개했으니
이제 본격적으로 소크라테스를 찾아가 보자고.
소크라테스와 플라톤이 주로 활동했던 곳은 고대 그리스의 아테네!
지중해의 작은 도시지.
인구는 노예 8만 명을 포함해서 20만 명이 약간 넘는 정도란다.
그리스의 대철학자 소크라테스는 글라우콘과 함께 아테네에서 약 7Km쯤 떨어져 있는 피레우스 항구에 갔어.
이들은 그곳에서 달의 여신에게 드리는 축제를 구경하고 돌아가는 길이었는데
!
폴레마르코스 일행을 만났어.
아! 여기서 만나는군요.
폴레마르코스는 반가워하며 이들을 집으로 초대했지.
오랜만인데 차 한잔 하고 가세요.
폴레마르코스의 집에는 그의 아버지인 케팔로스가 있었어.
어서들 오세요.
내가 30년간 방패 공장을 운영해서 돈을 많이 벌었단 얘기를 했었던가요?
하셨거든요~!
아, 미안. 내가 부자라는 것을 강조하려다 보니….

이제 가장 연장자인 케팔로스를 비롯하여 소크라테스, 글라우콘, 폴레마르코스, 트라시마코스, 아데이만토스 등이 모여 앉아 이야기를 나누기 시작했어.
두
둥
참! 여기서 명심해야 할 것이 있어.
원래 《국가》는 모두 대화체로 되어 있어.
그러니까 내가 한마디 하면,
우리가 대답하고 질문하는 식이지.
퉁
어른들은 상관없지만 너희들이 보기에는 지루한 대화가 반복되어 좀 재미없게 보일 수도 있어.
퉁
그래서 중요한 대화가 아닌 것은 그냥 일반적인 이야기로 바꾸었어.
헉! 그럼 원작이 훼손되잖아.
너덜
그 정도는 아니지만 원작이 궁금한 사람은 도서관에 가서 《국가》 책을 찾아보렴.
허~걱
도서관
아주 유명한 책이니까 대부분의 도서관에는 다 있을 거야.
끙… 어쩔 수 없지….
소크라테스가 먼저 케팔로스에게
노년의 삶에 대해 이야기해 주시겠습니까?
노년의 삶이라….
참고로 소크라테스는 아직 50대 정도이니, 노년층이라고 볼 수는 없지.
장년층이라 불러줘~.

케팔로스는 너희들 할아버지,
할머니를 생각하면 맞을 거야.
콜록 콜록
상상이 잘 안 되겠지만
그분들에게도 순수와 정열로
가득하던 청춘이 있었단다.
그땐 무서울 게 없었지.
아니, 더 거슬러 올라가면
기저귀 차고 응애응애 울던
갓난아기 시절도 있었지.
응 애~
그럼 너희들은?
우리?
너희들은 십 년 후면 얼굴에서
빛이 나는 아름다운 젊은이가
될 것이고
다시 수십 년이 흐르면 아저씨,
아주머니의 모습을 거쳐
결국 할아버지, 할머니의 모습이 될 거야.
허걱, 이렇게 늙는다고?
너무 슬퍼.
노인정
하지만 이것이 자연의 이치란다.
소크라테스의 질문에 케팔로스는
다음과 같이 대답을 해.
우리 노인들은 모였다 하면
젊은 시절의 즐거움을 아쉬워해요.
그러고는 한때는 잘 살았지만
지금 사는 것은 제대로 사는 것이
아니라고 말하죠.
그런가 하면 어떤 노인들은 친척들의 불손한
태도에 대해 탄식하고, 자신들의 불행이 나이가 든
탓이라고 말하지.

케팔로스는 또 노인들끼리 모이면 젊은 시절의
욕망과 쾌락을 떠올리면서 아쉬워하곤 하지만
그때가
좋았지.
암, 젊었을 때가
좋았어.
노인이 되어 욕망들이 점차 가라앉으니,
마치 난폭한 주인으로부터 해방된 것처럼 평화로워지고
자유로워지는 면도 있다고 말해.
아등바등하지
않는다고 할까?
맞아, 모든 것에
너그러워졌지.
또한 노년에 접어 들었다고 해서 슬퍼하고 불평하는 사람들은 대부분 나이가 문제가 된다기보다는
생활 습관이나 성격 자체에 문제가 있는 경우가 많다고 하지.
젊었을 때 해 놓은 게 없으니
늙어가면서 불평불만이
쌓이는 것이지요.
젊어서
노세~.
되는 일이
하나도 없군.
그러자 소크라테스는
그렇군요.
성격도 중요하지만 오히려 재산이
더욱 중요한 때가 많을 거라면서 물었어.
재산이 많아서 좋은 점이
무엇일까요?
이에 케팔로스는
재산이 많아서
좋은 점이라….
자신이 죄를 많이 지었다고
생각하는 사람은
문은 다
잠궜나?
가스 밸브는
잠갔겠지?
겁에 질려 잠도 제대로 못 자고
불길한 예감 속에 살아가지만
커흐흑,
단 하루도
마음 편하게 잠을
자지 못하는구나.
아무 잘못도 저지르지 않았다고
생각하는 사람은
아~
오늘도 보람찬
하루였어.

즐겁고 밝게 살게 된다는 거야.
내일도 좋은 일만 있겠지?
이래서 재산이 필요한 것입니다.
재산이 많으면 남을 속일 필요도 없고
자~ 원가 대공개~ 솔직한 가격입니다.
거짓말을 안 해도 되고
정말 원가 맞아요?
당연하죠. 전 거짓말은 하지 않습니다.
그리고 신들에게 재물을 바치기 위해 빚을 질 필요도 없고,
저기요. 신에게 제사를 지내야 하는데 돈 좀 빌려 주세요.
정확한 날짜에 갚으셔야 합니다.
남에게 진 빚을 못 갚는 일도 없기 때문이지.
진즉에 열심히 일해서 돈을 모아놓을 것을….
WANTED
재산(재물)은 사람이 하나의 개체로서 생존하기 위해서도 꼭 필요하지만
돈이 없으면 일단 식량을 사지 못하잖아.
한 명의 인격체로서 자존심을 지키며, 인간답게 살기 위해서도 꼭 필요해.
돈이 없어서 옷을 못 샀어요.
꺄아악~ 치한이다!
그렇다고 해서 재물이 없는 사람을 인격적으로 대우하지 않는 것은 바른 자세가 아니지만….
가난하다고 해서 꼭 게으르다고 단정할 수는 없답니다. 믿어 주세요.
이에 곧바로 소크라테스가 그에 대한 반대의 예를 들었지.
올바름에 대한 의미가 그처럼 무조건적으로 정직함과, 남한테서 받은 것을 갚는 것이라고 볼 수 있을까요?
그러면서 올바름에 대한 길고 긴 논의가 시작된단다.
올바름

올바름은 흔히 정의(正義)로 번역되곤 하는데
이 책에서 가장 핵심적인 단어 중 하나야.
국가
나중에 차차 나오지만 플라톤의 철학에서 지혜, 용기, 그리고 절제의 완전한 조화를 이르는 말이지.
지혜
용기
절제
이 책의 핵심 주제니까 지금부터 '올바름'에 대한 이야기가 나오면 정신 바짝 차려 듣도록!
올바름
소크라테스가 든 반대의 예는 바로 이런 경우야.
한 사람이 있었지요.
그의 친구가 정신이 멀쩡했을 때 무기를 맡겨 놓았다가
이건 굉장히 위험한 무기야. 잘 보관해 주게.
그러지 뭐.
미친 상태로 와서 돌려 달라고 하는 경우지.
내놔! 내 무기를 내놓으란 말이야!!
이럴 때는 미친 상태의 친구에게 무기를 돌려줘서도 안 되고
이것 보게, 여기에 무기는 없다네.
무조건 정직하게 말해서도 안 된다는 거야.
예전에 이미 자네가 찾아가지 않았나. 잘 생각해 보게.
그… 그런가?
케팔로스가 생각해 보니, 과연 그렇거든.
미처 생각하지 못한 부분이군요.
이리하여, 올바름이 무엇이냐에 대한 대답 중에서 '진실을 말하고, 받은 것을 갚는 것'이라는 대답은 제외됐어.
진실이 항상 올바르지만은 않다는 좋은 예였습니다.
그렇습니다.

이때 폴레마르코스가 대화에 끼어들었어.
저도 한마디 하죠.
그는 시모니데스의 이야기를 하면서, '각자에게 갚을 것을 갚는 것, 각자에게 합당한 것을 주는 것'을 올바름이라고 주장해.
시모니데스가 케오스섬 출신의 유명한 서정시인인 건 다들 아시죠?
이처럼 올바름이 무엇인지에 대하여 저마다 생각들이 다른 거야.
소크라테스 선생님 말이 무조건 옳은 것은 아닙니다.
그의 이야기를 들은 소크라테스는 특유의 유들유들한 대화법으로
하하, 그렇군요.
폴레마르코스의 이야기에서 허점을 집어 낸단다.
그럼 제가 질문을 하지요.
소크라테스는 폴레마르코스에게 물었어.
각자에게 갚을 것을 갚는다는 것이 대체 무슨 뜻입니까?
?
폴레마르코스는 이렇게 대답했지.
친구들에게는 뭔가 좋은 일을 해 주되, 적들에게는 무엇인가 나쁜 일을 당하도록 하는 것이 마땅하다는 뜻입니다.
그런데 이것은 폴레마르코스의 실수였지.
그럴 줄 알았지요.
씨익-
이제 폴레마르코스는 딱 걸렸어!
헉! 뭐, 뭐야? 저 기분 나쁜 미소는?
움찔
소크라테스의 반격이 시작되거든.
사람들의 눈이라는 것은 그리 정확한 것이 못 된다고 생각합니다.

종종 친구를 나쁜 사람으로 오해하기도 하고, 적을 친구로 생각하기도 한다는 거야.
이… 이보게, 그건 진짜 오해야.
오해는 무슨 오해! 자네가 훔치는 걸 봤다는데!
그럼~ 내 눈으로 직접 봤다고.
말하자면 친구와 적을 제대로 구별 못 하는 일이 얼마든지 생길 수 있다는 거지.
흑흑~
자네야말로 진정한 내 친구일세. 고맙네.
하하~ 당연한 걸 뭐.
너희들이야 인간관계가 아직 단순해서, 주변에 '적'까지는 없으리라고 봐.
적이라니? 다 같은 학교 친구들인데?
친구들은 그저 '친한 애'와 '안 친한 애' 정도로 나뉠 거야.
학원에 같이 가자.
그래.
그러나 나중에 어른이 되어 학교를 졸업하고 사회에 발을 내딛는 순간
와아~ 드디어 졸업이다.
너희 곁에는 바로 불특정 다수의 경쟁자가 등장하지.
사 - 삭
허걱.
서로 싸우고 나서 적이 되는 것이 아니라
이번 회의의 결과로 승진이 좌우됩니다. 열심히 의견을 내주세요.
한정된 자원을 놓고 경쟁하는 구도이다 보니 그냥 저절로 적이 되는 거야.
내가 좀 더 좋은 아이디어를 내야 해.
여기 있는 동료들이 모두 적이다!
사람들의 눈이 부정확하다는 점에는 폴레마르코스도 동의했어.
뭐… 인간이란 신처럼 완벽할 수는 없으니까요.
그래서 다시 말을 살짝 바꾸어서, 겉으로 보이는 면과 실제 행동이 일치할 때만 친구라고 하기로 했지.
정직하게 생겨서 이렇게 약속을 어기다니! 넌 친구도 아냐!
이… 이봐, 난 단지 5분 늦었을 뿐이라고.

물론 적에 대해서도 마찬가지고.
보기에도 나빠 보이고 행동까지 나쁘게 할 때 적이라고?
헉!
말하자면, 실제로 좋은 친구에게는 이익이 되게 하고
친구! 자네에게 좋은 정보를 알려주지.
오~ 고마워.
실제로 나쁜 적에게는 해롭게 하는 것이 올바름이라는 거야.
저 나쁜 친구에게는 말해 주지 마.
알았어.
?
어떻게 생각해? 맞는 말 같지 않아?
그런 것 같기도 하고, 아닌 것 같기도 하고….
올바름
나에게 나쁜 짓을 하는 못된 사람에게는 당연히 그 대가를 돌려줘야 되지 않겠어?
무슨 소리!
정의
멋있게 복수를 해 주지 않으면 그쪽에서도 섭섭해 할 테니 말이야.
정의의 주먹이다!
퍽
또한 불의에 대해서는 가차없이 응징해야 세상에 정의가 바로 서는 게 아니냔 말이야.
푸하하하~ 이것이 바로 정의 사회라는 거야!
정의
정의 사회
잠깐! 난 그렇게 생각하지 않습니다.
소크라테스는 그것은 결코 올바름이 아니래.
정의
아니~ 왜?
왜냐하면 명색이 '올바른 사람'이란 자가 어떻게 남을 해롭게 하느냐는 거야.
하… 하지만 난 적만 해친 건데.
그것이 친구든 적이든 간에 말이야.

누구를 해치는 것은 어떤 경우에도 올바른 행동이 아니라는 거야.
듣고 보니 그렇네요.
정의
반성문
결국 폴레마르코스도 소크라테스의 이야기에 동의할 수밖에….
선생님 말씀이 맞습니다.
이때 트라시마코스라는 소피스트가 드디어 입을 열었어.
쾅
그는 마치 난폭한 육식 공룡처럼 굴었지.
도저히 더는 못 참아!
꺄오~
소크라테스와 폴레마르코스는 너무 무서운 나머지 겁에 질릴 뻔했어.
무… 무서워.
그는 그동안 하고 싶은 말을 참느라 얼마나 애썼는지 고래고래 소리를 지르며 대화에 뛰어들었어.
언제까지 결론 없이 말장난만 할 겁니까?
그는 소크라테스를 향해서 말했어.
남한테 질문만 하면서 뽐내지 말고, 올바름이 무엇인지 직접 말해 보세요!
참! 트라시마코스의 직업이 소피스트라고 했지?
뭐… 뭐야? 맥이 끊기잖아.
움찔
소피스트에 대해서 소개하고 가야 해.
아니, 왜?
당시 소피스트들은 매우 중요한 의미를 지닌 사람들이거든.
그렇지. 그렇다면 설명하고 가야지.
소피스트란 무엇인가?

소피스트가 대체 뭐하는 사람일까?
고대 그리스에서 활약한 궤변*학파 지식인들을 가리키는 말이지.
말하는 기술을 가르치고 보수를 받기도 했어.
이들에 대한 역사의 평가는 다소 부정적이야.
헉, 후손들에게 욕먹을 짓을 했어?
성적표
가

*궤변 – 이치에 닿지 않은 말을 억지로 둘러대어 합리화시키려는 허위적인 변론

소피스트들의 입심이 어느 정도인지를 보여 주는 재미있는 일화가 있어.
으쓱
으쓱
어떤 소피스트가 제자를 가르쳤어.
제자의 실력이 상당 수준에 이르게 되자
자, 이제 다 배웠으니 수업료를 내거라.
그런데 이 제자
전 배운 것이 없어서 수업료를 낼 수 없습니다.
뭐야?
들썩
그래서 결국 두 사람은 재판정에서 만나게 되었어.
두둥
소피스트가 제자에게 먼저 말했어.
어차피 내게 돈을 지불해야 하니 고집부리지 마라.
만일 내가 재판에서 이긴다면, 너는 재판부의 결정에 복종하여 수업료를 지불해야 한다.
돈 줘, 땅땅.
땅
땅
땅
예… 크흐흑.
설사 내가 재판에서 진다고 해도 너는 돈을 지불해야 한다.
왜요?

왜냐하면 네가 이겼다는 것은 나보다 말을 잘한다는 것이고, 그것은 바로 스승인 나를 능가할 정도로 나한테서 배운 게 많다는 게 증명되니까.
당연히 나에게 수업료를 지불해야 하지.
수업료
엉~
그러자 제자도 지지 않고 대꾸했어.
스승님, 저는 수업료를 낼 필요가 없습니다.
넌 빠져나갈 구멍이 없다니까.
만일 제가 재판에서 이기면, 재판부의 결정에 복종해서 돈을 낼 필요가 없고
돈 주지 마.
네~.
제가 지게 되어도 역시 돈을 낼 필요가 없습니다.
왜냐고요?
그래! 이유를 말해 봐!
제가 지게 되면
스승님으로부터 배운 것이 별로 없다는 게 증명되는 것이니까요!
허걱.
어때 재미있지?
이런 대화를 보면 소피스트들이 어떤 사람들이었는지를 알 수 있을 거야.
그들은 사건의 본질보다는
에이~ 진실 같은 건 다 필요 없어.
진실
휴지통
화려한 말솜씨로 사람들의 밝은 생각을 어둡게 하는 역할을 많이 했어.
속닥 속닥
속닥 속닥
오오~ 그렇군요.

그래서 진짜로 철학을 하는 사람들은 이들을 싫어해.
나도 싫어.
나도.
꼬물
꼬물
요즘에도 말만 번지르르 잘하는 사람들을 두고 궤변론자라고 하잖아?
말만 잘하면 모두 넘어와.
말
말
말
궤변론자들의 조상이 바로 이들 소피스트였어.
우린 세 치 혀로 먹고 사는 사람들이란다.
그럼 이제 다시 소크라테스와 트라시마코스의 이야기로 돌아가 볼까?
액션!
딱
트라시마코스는 소크라테스가 시치미를 떼는 식으로 질문을 회피한다면서 노골적으로 못마땅해 했어.
올바름은 바로 '강자(통치자)의 이익'입니다!
그는 지배자들은 항상 자기의 이익을 먼저 생각한다는 거야.
내 것부터 챙기고.
그래서 자신의 이익을 위해서 법률을 제정하고서는
세금은 무조건 많이 내도록 법을 정하라!
네….
피지배자에게 그것이 올바른 것이라고 말하고
이게 다~ 백성들을 위한 조치야.
뭐가? 세금 많이 내는 게?
꼬르륵
이를 어기는 사람은 범법자 또는 부정을 저지른 자라 하여 징벌해.
세금을 안 내고도 살아 남길 바라느냐!
당장 먹을 것도 없는데 세금을 뭘로 내란 말입니까?
그러니 법률을 제정한 지배자의 이익이 올바름이 된다는 거지.
하하하, 이건 내 말이 아냐. 법이 정한 거라고!

이제 소크라테스는 한 단계, 한 단계 밟아 나가면서 트라시마코스의 주장을 반박해.
흐음…
잘 들었습니다.
우선 피지배자들은 지배자에게 무조건 복종하는 게 옳은 것이냐고 물었고, 트라시마코스는 이에 동의했어.
맞습니다,
맞고요.
요즘 세상에서 무조건적인 복종을 요구하는 곳은 아마 군대뿐일 거야.
충-성!
하지만 옛날에는 달랐지.
옛날엔 임금, 왕 등이 있었잖아? 절대 복종을 해야 하는 사람들~.
이제 소크라테스는 지배자들이 자기들의 이익을 위한 법률을 만들 때, 때로는 실수할 수도 있다고 지적하지.
원숭이도
나무에서
떨어질 수
있다니까.
맞잖아? 인간은 누구나 실수할 수 있거든.
인간이니까~.
신
와아-
생각했던 것과 정반대의 엉뚱한 결과를 자초할 수 있지.
폭군은
물러가라!
허걱!
우르르~
트라시마코스도 내키지는 않았지만 동의할 수밖에.
비틀~
뭐…
인간이니까.
이제 전세는 기울기 시작했어.
심판
지배자들이 실수나 착각으로 자기들에게 이익이 없는 법률을 만들어 공포해도
이건 모두
백성들을
위한 법률
이라니까.
피지배자들은 이를 따르게 된다면서….
와~ 웬일이래?
이건 진짜
우리를 위한
법률이잖아?
쉿~ 지배자님이
착각하신 모양이야.
우린 조용히
따르자고.

이는 트라시마코스의 주장과 정반대의 상황을 의미한다고 말하지.
즉, 올바름이 항상 강자의 이익이라고 볼 수는 없지 않겠습니까?
올바름 ≠ 강자의 이익
하지만 쉽게 물러날 트라시마코스가 아니지.
난 궤변의 전문가인 소피스트라고.
궤 변
다음과 같은 말도 오히려 소크라테스를 궤변가로 몰아세우면서 자기의 주장을 굽히지 않았어.
소크라테스 선생님! 선생님께서는 정말이지 훌륭한 궤변가이십니다.
궤변론자
그의 말을 잘 들어 봐.
우리는 가끔 의사나 계산 전문가가 실수를 한다고 합니다.
우리 말야?
하지만 진정한 전문가라면 실수를 하지 않습니다.
왜냐고?
실수는 그 방면에서 지식이 부족해 저지르는 것이기 때문입니다.
여길 이렇게 잘라서….
슥-슥
그렇다면 그는 진정한 전문가가 될 수 없는 것이지요.
앗! 실수했다.
촤악
그러므로 진정한 지배자라면 실수를 저지르지 않습니다.
따라서 엄밀한 의미에서 지배자는 실수하지 않으며
내가 실수를 했다면 지배자가 될 수 없었겠지.
자신을 위해서 최선의 법을 만들고, 지배 받는 쪽에서는 이를 따라야만 합니다.

그러므로 제가 주장한 대로 강자의 이익을 따르는 게 올바름이 맞습니다!
어때 트라시마코스의 말이 맞는 거 같아? 어이가 없지?
?
폭포
진정한 지배자는 실수를 하지 않는다는 것을 전제로
푸하하~ 난 신과 동급이라고.
신
자기 주장을 억지로 펴고 있잖아?
내 말이 맞다니까.
하지만 문제는 진정한 지배자라는 것이 없다는 거지.
여기서 비극이 시작되는 거야. 크흑….
소크라테스는 이제, 진정한 지배자는 과연 누구의 이익을 위하는 사람인지에 대해 이야기를 풀어가.
그럼 제가 지배자 이야기를 해 보겠습니다.
소크라테스는 의사와 선장을 예로 들어 설명해.
난 의사.
나는 선장.
의사는 그가 의사인 이상, 돈벌이만 생각하는 게 아니라 환자의 건강, 즉 환자의 이익을 생각한다는 거야.
건강하게 오래오래 사세요.
그럼요. 선생님 덕분에 병도 다 나았어요.
2F
또한 선장도 그가 선장인 이상, 자기 이익만을 따지는 게 아니라 선원들의 이익도 고려하면서 통솔한다는 거지.
미리미리 돛을 손질해 두게. 폭풍을 만나면 우리 모두의 목숨을 구할 소중한 것이니까.
예, 선장님!

그러니 엄밀한 의미에서 진정한 지배자는 자신의 이익만을 위하지 않고, 지배를 받는 쪽의 이익도 생각한다는 거야.
백성들이 잘 살아야 나라가 잘 살고, 나라가 잘 살아야 지배자인 나도 잘 사는 거지.
정말 살기 좋아졌어.
그러게.
이렇게 되자 트라시마코스가 말한 올바름의 정의는 틀린 게 되고 말았어.
올바름
이야기가 여기에 이르는 동안 트라시마코스가 듣고만 있었던 건 아니야.
어때요? 여기까지 동의하십니까?
소크라테스가 중간 중간에 동의하느냐고 물어볼 때마다 고개를 끄덕거리긴 했지만….
뭐… 그 부분은 동의합니다.
그렇다고 해서 트라시마코스가 자기의 생각을 포기한 줄 알면 오해야.
하지만 소크라테스 선생님!
지배자들이 과연 피지배자들의 이익을 생각하겠냐면서 소크라테스를 순진하다고 몰아세웠어.
너무 순진하다 못해 세상물정에 어두우신 거 아닙니까?
트라시마코스가 보는 세상은 바로 이런 거야.
세무서
계약 관계에서나, 또는 국가에 세금을 낼 때에
올바른 사람은 올바르지 못한 사람에 비해 늘 손해를 보고
내가 작년에 100만 원을 벌었으니 세금은 10만 원을 내면 되겠군. 좀 부담스럽지만 내자.
올바르지 못한 사람은 항상 이익을 본다는 거야.
흥, 바보같이 정직하게 신고하다니. 난 10만 원만 신고하고 만 원만 세금으로 낼 건데.
그러니까 올바름이란 지배자의 이익이며
복종하며 섬기는 피지배자들은 손해를 본다는 것이지요.

가장 완벽한 상태의 '올바르지 못함'은 올바르지 못한 사람을 가장 행복하게 만들지만
탈세로 모은 돈으로 천년만년 부자로 살리라.
반면에 올바르지 못한 일이라곤 전혀 하지 않은 사람들을 가장 비참하게 만들어.
흑흑… 난 정직했을 뿐인데 왜 늘 저 친구보다 가난하게 살아야 하는 거지?
이처럼 올바르지 못한 짓이 대규모로 저질러지는 경우에는
세금 신고를 제대로 하는 사람이 바보라니까.
올바르지 못함이 올바름보다 더 강하고 자유로우며 힘이 세다는 거야.
우린 부자다~ 하하하.
따라서 자신이 처음부터 주장한 대로 올바름은 강자의 이익이라는 것이지.
올바름
진리
힘
힘이 곧 진리고, 진리는 올바름이랍니다.
종합해 보면 트라시마코스는
제가 올바름과 올바르지 못함의 참뜻을 혼동하는 것은 아닙니다.
결과적으로 볼 때, 올바름이라는 가치가 강자의 이익을 포장하는 데 이용되고 있으며
내가 올바르지 못하다고 생각하나?
그… 그럴리가요.
올바르게 사는 사람이 불이익을 당하는 세상이므로
올바름
올바름으로 가려니 장애물이 너무 많아.
올바름이라는 것이 결코 인생에 도움이 안 되니
흥, 올바른 게 무슨 소용이냐고.
취할 것이 못 된다는 이야기를 역설적으로 한 셈이야.
나도 그냥 편할 길로 가야 했던 걸까?

그렇지만 트라시마코스는
이러한 현실을 비판하고
개선하자는 입장이 아니야.
내가 왜?
도덕적 상대주의를 표방하는
소피스트답게, 이러한 현실을
토대로
이기는 자가 곧 정의라고!
올바름의 의미를 강자의 이익이라고
규정하고 세상을 냉소적으로 보고
있는 거야.
흥~ 그것이 세상의 현실이야.
맞아. 소크라테스도 이 점을
지적하고 있어.
한 가지 물어 보겠습니다.
트라시마코스는 올바르지 못함을
이익이 있는 것으로 여김과 동시에
그것이 나쁜 것이고 창피하다는 데는 동의하십니까?
아니오.
올바르지 못함을 훌륭함과
지혜로 여기고 있었지.
그렇다면 나도 더 이상 할 말이 없습니다.
그렇지만 입심으로 세상에서 둘째가라면
서러워할 소크라테스가 정말로 할 말을 잃고
입을 닫았겠어?
할 말이 없다는 데 왜 이리 찜찜하지?
결국 소크라테스는 올바르지 못한 사람을 세상을 살아가는
요령이 있고, 지혜로운 사람으로 취급하는 트라시마코스를
특유의 화법으로 거뜬히 제압했지.
바둥
바둥
소크라테스
실제로 트라시마코스는
소크라테스의 거듭되는 질문에
질질 끌려갔고
그… 그게 그러니까.
질문……
얼굴은 붉어지고 땀까지
뻘뻘 흘려댔으니 체면이
이만저만 구겨진 게 아니야.
체면
어쨌든 두 사람은 올바름은 훌륭함이며
지혜라는 데 동의했어.
올바르지 못함은 나쁨이며 무지라는 데 동의합니까?
뭐… 동의합니다.

트라시마코스는 올바르지 못함이 올바름보다
더욱 강력하다고 주장했지만
강하니까 세상을 지배하는 거죠.
소크라테스는 어느 것이 더 강력한지는 결과를 보면
알 수 있다면서, 올바름이 있어야만 개인이나 집단이
강력한 힘을 발휘할 수 있다고 해.
과정을 보지 말고 결과를 보십시오.
이제 소크라테스는 올바른 사람과 올바르지 못한
사람 중에 누가 더 행복한지를 검토해 보자고 해.
자~ 두 사람 나와 주세요.
이는 생활태도 내지 삶의 신조와 직결되므로
결코 단순한 문제가 아니야.
단순하게 돈으로 행복 지수가 결정되는 것은 아니지요.
소크라테스는 사람의 혼(魂)이
이를 관장한다고 보고
영혼을 말하는 거예요. 바로 정신세계라고 할 수 있죠.
슈~욱
사람의 혼이 훌륭한 상태일 때
올바른 혼과 올바른 사람으로서
훌륭하게 살 수 있다고 봐.
그리고 훌륭하게 사는 사람은
행복할 것이고 행복은 곧 이득이니
불법을 하지 않으니 마음이 항상 편안하지.
결국 올바름이 올바르지 못함보다 이익이 되며, 올바른 사람이
올바르지 못한 사람보다 더 행복하다는 결론에 도달하지.
오~ 빛나는 태양~ 너 참 아름답구나. 하하하!
난 왠지 태양이 비추면 내 죄가 드러나는 것 같아 불안해.
트라시마코스는 이번에도
소크라테스에게 KO패를 당했어.
YOU WIN!

소피스트의 세계

소피스트들이 모여서 대화하고 있다. 소피스트들은 아테네를 중심으로 그리스 곳곳을 돌아다니며 처세를 위한 변론술을 가르치면서 돈을 벌었다.

소피스트란 그리스어로 '현명한 사람' 또는 '훌륭한 지식인'을 뜻합니다. 이것은 소피스트들 스스로가 자신들을 훌륭한 교사요, 지식인이라고 주장한 데서 시작된 것입니다. 이들이 본격적으로 활동했던 시기는 기원전 5세기부터 4세기였어요. 당시 아테네는 초보적인 민주 정치를 하던 곳으로, 의회나 법정에서 연설을 잘 해야 능력 있는 정치인으로 인정받고, 정계에서 성공할 수 있었으므로 소피스트들은 꽤 인기가 좋았습니다. 특히 부잣집 청년들을 가르치는 소피스트들은 고액 과외비를 챙길 수 있었답니다. 이들이 주로 가르쳤던 것은 작문, 수사법, 법률, 도덕론 등이었어요.

소피스트들은 학문적으로 볼 때 좋지 않은 영향을 끼치기도 했어요. 이들은 학문 자체에 대한 연구보다는 처세를 위한 변론술을 중요시했어요. 소피스트들은 주관적으로 가치를 판단하고, 진실과 거짓에 상관없이 자기에게 유리하게 변론하는 것에만 중점을 두었습니다. 이 때문에 청년들의 가치관에 많은 혼란을 주었고, 진리의 문제나 윤리, 도덕의 기준에 관해서 회의적인 분위기를 일으키게 됩니다. 특히 머리 좋은 그리스의 청년들이 소피스트들의 뛰어난 말솜씨에 빠지자, 보수적인 어른들은 소피스트들을 과격하고 위험한 사상가라고 비난하게 되었어요.

덕분에 소피스트라는 말은 궤변가를 뜻하게 되었고, 이들을 궤변학파라고 부르게 되었습니다. '궤변'이란 얼른 들으면 옳은 것 같지만, 사실은 이치에 닿지 않는, 자신의 생각을 합리화시키는 말을 뜻합니다.

하지만 일부 소피스트들은 당시 자연 철학을 연구하던 그리스 철학을, 사람 중심으로 변화시키는 데 큰 기여를 하기도 했어요. 또 소크라테스와 플라톤의 철학이 소피스트들의 논리를 반박하고 극복하는 과정에서 발전되었다는 점에서 이들에 대한 의의가 재평가되기도 합니다. 또 그리스 청년들에게 사회에 대한 비판 정신을 심어 주고, 자유로운 사고를 할 수 있도록 하는 데 큰 역할을 했어요.

대표적인 소피스트로는 '인간은 만물의 척도이다.'라고 말한 프로타고라스, '정의란 강자의 이익이다.'라고 말한 트라시마코스, '진리란 존재하지 않으며, 존재한다 하여도 알 수 없고, 안다 하여도 전할 수 없다.'고 한 고르기아스 등이 있습니다.

제4장
올바름과 국가의 기원
국가
이렇게 모두 올바름이 무엇인지를 놓고 열띤 토론을 벌여나갔지.
그럼 왜 이토록 '올바름'이란 것이 중요한 걸까?
올바름
이 장에서는 플라톤의 형인 글라우콘과 아데이만토스가 소크라테스의 제자로 등장해서
앞장의 논의를 이어나가고 있어.
사람들이 올바름을 추구하는 것은 보수나 명성 때문입니다.
소크라테스 역시 사람들이 그렇게 여기고 있다는 점에 대해선 동의하고 있어.
올바름 자체는 까다롭고 피하고 싶은 것이고요.
그렇지.
올바름이란 무엇이며 그 기원이 어디에 있는지 제 생각을 말하겠습니다.

사람들은 올바르지 못한 일을
하는 것이 이익이 있는 좋은 일이오,
올바르지 못한 일을
당하는 것은 손해를 보는
나쁜 일이라고 생각합니다.
에이, 나도 건널걸. 괜히 신호 지키다가 약속에 늦었네.
올바른 사람과 올바르지 못한
사람에게 각각 마음대로
할 수 있는 자유를 주고
부웅-
경찰
그 후 그들이 어떻게 행동하는지를
관찰해 보면
앗, 경찰이 갔네!
결국 올바른 사람도 욕심 때문에
올바르지 못한 사람과 똑같은
행동을 하게 된다는 거지.
즉 글라우콘은 사람들에게 각자
하고 싶은 대로 할 수 있는 자유를 준
다음 어떻게 하는지를 지켜보면
자유?
올바른 사람도 욕심 때문에
올바르지 못한 사람과 똑같은
방향으로 가는 걸 볼 수 있다는 거야.
욕심
결국 사람은 욕심 때문에
모두 올바르지 못한 방향으로
가게 되어 있다는 거지.
욕심
욕심
욕심
글라우콘은 여기서 그 유명한
'기게스의 반지'에 관한
이야기를 꺼내지.
너희도 '반지의 제왕' 알고 있지?
'절대 반지'를 둘러싸고 벌어지는
이야기 말이야.
영화, 게임으로 만들어져
온 세상 사람들을 열광시켰던
그 '반지의 제왕'이란 작품이
LORD OF THE RINGS
반지의 제왕
바로 이 '기게스의 반지'에서
영감을 얻어 만들어진 이야기라는군.
나는 긴머리 휘날리던 예쁜 엘프가 젤로 좋았어.
전 레골라스요.

여기서도 반지 하나 때문에 일이 꼬이는데
그리 건전한 내용은 아니니, 적당히 순화시켜 들려줄게.
19
옛날 서남 아시아에 리디아라는 나라가 있었어. 기원전 7세기부터 1세기 동안 번성했던 왕국인데
한때 그리스 도시를 정복할 정도로 전성기를 누렸어.
리디아는 대단한 문명 국가였어.
게다가 이들은 인류 최초로 화폐를 주조했단다.
그 주인공이 바로 '기게스의 반지' 이야기로 유명한 기게스 왕이야.
고대 그리스 인들에게 리디아는 화폐 주조의 기원이기도 하지만 '참주' 라는 말이 시작된 곳이기도 해.
100
참주
리디아
기게스가 바로 최초의 참주거든.
참주가 무슨 뜻이죠?
오! 질문하는 습관, 아주 좋아.
'참주' 는 본래 동양과 서양에서 '폭군' 이란 뜻으로 쓰여 왔어.
참주가 폭군?
오해하지 마. 그렇게 쓰여 왔다는 거지. 꼭 그렇다는 것은 아니니까.
본래 리디아어 참주(tyrannos)는 종교적 신성 권력과 대비되는 그냥 통치자를 가리키는 말이야.
참주 = 통치자
그러니 꼭 폭군이나 독재자를 뜻하는 말은 아니었다는 거지.
나 폭군 아냐.
참 주
기억해 두렴. 앞으로 자주 사용하게 될 거니까.
참 · 주!

이제 기게스의 반지 이야기를 해 볼까?
리디아에 기게스라는 사람이 있었는데 그는 왕에게 고용된 양치기였어.
난 왕실에서 뽑은 목동이야.
메에에~
어느 날 폭풍과 지진이 일어나 땅이 갈라졌지.
쿠쿠쿵
기게스가 양에게 풀을 먹이던 곳에 빈 공간이 드러났어.
헉! 뭐… 뭐지?
놀란 기게스는 갈라진 땅속으로 내려갔지.
거기에는 조그마한 문이 달린 청동으로 된 말이 있었는데
말의 속은 텅 비어 있었고
사람 키보다 조금 커 보이는 시체만 달랑 하나 놓여 있었대.
이 시체는 다른 것은 아무것도 걸친 게 없었지만
손에 황금 반지를 끼고 있었어.
기게스는 반지를 빼 가지고 밖으로 나왔지.
후다닥

어느 날 양치기들이 왕에게 목동 일을 매월 보고하는 모임에
기게스도 그 반지를 끼고 참석했어.
우연히 만지작거리던 반지를 손 안쪽으로 돌렸는데….
팟-
기게스, 기게스가 없어졌다!
갑자기 사라졌어.
놀란 기게스가 황급히 반지를 바깥쪽으로 돌렸더니 다른 사람들 눈에 다시 보이게 되었지.
뭐… 뭐야? 다시 나타났잖아?
팟-
이게 무슨 조화야?
반지의 힘을 알아차린 기게스는 다시 한번 시험해 보았는데 결과는 똑같았어.
부들
부들
투명 인간이 되게 하는 반지를 갖게 된 기게스는….
오오….
무척 기뻐했지!
하하하~ 세상에 두려울 것이 없다.
기게스의 다음 행보가 과연 무엇이었겠니?
투명 인간이 되어 불쌍한 사람을 도왔을까?
흥, 내가 왜?
기게스는 반지를 안으로 돌리고는 투명인간이 되어 왕비의 처소에 드나들었고
쓱

결국 왕을 살해한 후
리디아 왕국을 차지했다고 해.
이 새로운 왕이 바로
기게스 왕이야.
한마디로 순진한 양치기가
부도덕한 권력자로 변하는 이야기지.
이로부터 기게스의 반지는 처벌을 받지 않고
나쁜 짓을 해도 되는 자유를 의미하게 되었어.
하하하~
누가 날 잡을 것이냐.
너도 그런 반지
하나 있었으면 싶지?
깜 짝
만약 너희들이
기게스의 반지를
줍는다면….
이 반지는
내 거야!
아무도
못 건드려!!
어떻게
하겠니?
음…
저기….
말 안 해도
다 알아.
뭘
상상하는
거예요?
그러니 만약에
반지 두 개가 생겨서
하나는 올바른 사람이
그리고 다른 하나는 올바르지 못한
사람이 끼게 된다고 해도
?

남의 것에 손대지 않을, 양심적인 사람이 과연 있겠냐는 거야.
말하자면 자기가 갖고 싶은 물건은 뭐든지 가질 수 있고
마음에 안 드는 사람은 얼마든지 못 살게 굴고 심지어 죽일 수도 있으니 말이야.
너 전에 날 못생겼다고 놀렸지. 맞아라!
뻥
이쯤 되면 인간들 사이에서 신처럼 행세할 수 있겠지?
착한 일을 하는 투명 인간은 영화 속에서나 존재하는 게 아닐까?
이것이야말로 올바름이 개인적으로 좋은 것이 못 되기에
헉!
우걱
우걱
아무도 자발적으로 올바르게 행동하지 않고
보는 사람도 없는데 뭔들 못 하겠어?
으쓱
어쩔 수 없이 실천하는 것임을 말해 주지.
도와 주세요.
역시 우리 선생님이야.
뒤탈 없이 올바르지 못한 짓을 저지를 수만 있다면
누구나 그렇게 할 거라는 거지.
푸하하~ 당연한 거 아냐?
결국 글라우콘이 기게스의 반지 이야기를 통해 하고 싶은 말은
올바른 게 좋지만 그게 좋은지는 모르겠어.

올바름이란 인간이 추구해야
할 것이지만,
올바름
올바름 자체가 좋은 것이라고
확신할 수는 없다는 거야.
가야 하나? 말아야 하나?
그래서 글라우콘은 소크라테스에게
올바름이 그 자체로서 좋은 것임을
입증해 달라고 요구했지.
증거를 내놓으시라고요.
그… 그것이….
아데이만토스 역시 올바름을 올바름
그 자체로서 옹호해 줄 것을
소크라테스에게 간청했어.
스승님이 해 주셔야 해요!
그래 우리 한번 시작해 보자.
그래서 소크라테스는
올바름 그 자체를 찾기 위한
긴 논의를 시작했어.
《국가》라는 책 전체가
결국은 이 논의의 여정이야.
국가
소크라테스는 한 가지 제안을 하지.
이렇게 생각해 보면 어떨까?
척
예를 들어 시력이
좋지 못한 사람에게
어디야, 어디?
더듬 더듬
작은 글씨를 먼 거리에서
읽게 할 경우,
뭘 보라는 거야?
그것과 똑같은 글씨를 다른 곳에
크게 적어 큰 글자를
먼저 읽게 한 다음
잘 보인다!
소변 금지

그것들이 작은 글씨와 같은 것인지를 관찰하게 하는 방법이야.
같은가? 아니 다른 글씨인가?
이처럼 올바름은 개인의 책임도 있지만
우리 차례를 지킵시다.
국가 전체의 책임도 있다고 말할 수 있어.
교통 신호를 지키지 않는 사람에겐 벌금을 물리는 법률을 선포한다!
개인의 올바름보다는
개인의 올바름이야 이 정도지 뭐.
국가 전체의 올바름이 더 규모가 크고 알기도 쉬울 거야.
당연하죠!
소크라테스가 이런 말을 하게 된 것은
올바름이 무엇인지 알아보되
규모가 큰 차원에서 먼저 살펴보는 것이 보다 알기가 쉽다는 거야.
큰 글자부터 보라고?
그런 뜻이겠냐?
규모가 큰 차원이란 무엇인가?
글쎄요… 그건.
국가 차원의 올바름이 무엇인지를 검토해 보자는 것이었어.
바로 법률로 정한 올바름이지.
법률
그러고 난 다음에 개개인의 올바름을 검토해 보자는 거야.
삑
허걱~ 경찰이 있었어?
그러자면 국가가 성립되는 과정부터 알아보는 게 나을 거야.
국가가 성립되는 과정? 잉, 뭐야. 어려울 것 같아요.
그래서 안 듣겠다고?
그… 그럴리가요.

지금부터 그리스의 대철학자
소크라테스가 말하는
국가의 형성 과정을 따라가 보자.
너희들은
국가라는 게 어떻게
생겼을 것 같아?
윽, 질문은
싫어요.
누군가
심심한데 국가나
한번 만들어 볼까?
국민될 사람
여기 모여라!
이랬을까?
아니거든.
소크라테스는 국가의 기원이
인간의 필요성에서
시작되었다고 해.
즉 인간은 누구도 자족하지 못해.
농사만 죽어라
지었는데….
고기가 먹고 싶어.
반면에 필요로 하는 것은
아주 많지.
밥을 먹으려니
그릇이 있어야
하고, 옷도
있어야 하고….
인간은 필요를 충족하기 위해
서로 돕고 협력할 수밖에 없어.
도와줘. 잡으면
반 나눠 줄게.
알았어.
푸드득
이러한 필요의 충족을 위해서
요구되는 첫 번째 것은
무엇일까?
먹는 거요!
맞았어.
바로 음식이지. 냉장고가 비면
불안해지는 걸 보면 알 수 있잖아.
배고파.
반면에 꽉 차 있는
냉장고를 생각해 봐.
생각만 해도
배부르다, 킥.
그 다음으로는
뭘까?
집이오!
잠을 자야 하니까.

그렇지! 발 뻗고 맘 편하게
잘 수 있는 공간이
있어야 하고
그 다음으로는 몸의 몇 군데는
좀 가리고 다녀야 하니 옷가지도
필요하겠지.
이것이 바로
최소한의 복장이지.
그렇다고 의식주 이 세 가지만
갖췄다고 해서 만족할 수 있을까?
밥만 먹곤
못 살아!
그럼 뭐가
필요한데?
인간답게 살기 위해선 필요한 게
한두 가지가 아냐.
구두도 필요하고,
화장품, 반지….
커흐흑~
끝이
없구나.
신고 다닐 신발도 있어야 하고,
사냥할 때 쓸 무기나
도구도 있어야 하고,
음식을 조리할 때 쓸 그릇도
필요하지.
너희들 집 안을 한번 둘러보렴.
곳곳에 각종 다양한 물건들이
배치되어 있을 거야. 봐 정말 많지?
가구며 가전제품이며
크고 작은 집기들….
그런데 부모님들이 이 물건들을
뚝딱뚝딱 직접 만드셨을까?
오늘은 침대를 만든다.
뚝딱
뚝딱
생각을 해 봐! 자기에게 필요한 물건들을 스스로 만들어
써야 한다면 하루하루가 얼마나 고되고 힘들겠어?
침대보다는 의자가
먼저라니까.
나보고
어쩌라고~.
힘들어 죽겠어!

아침부터 밤까지 이 물건 저 물건 만들다
그렇게 평생을 보내야 할걸?
침대부터 만들어야 한다니까….
그런 세상이었다면 나는 아마 살아남지 못했을 거야!
누구?
국 다 탕~
커흐흑~ 뭐든 내 손에만 닿으면 망가지니….
그런데 신기하게도 만화 그리는 재주는 있거든.
사사삭
사람은 저마다 특별히 잘하는
기술이나 재주가 한 가지쯤은
있게 마련이지.
얼마나 다행인지….
휴
목수는 나무를 잘 다루고
슥 슥
옷감 짜는 사람은
옷 만드는 기술이 특별하고
물론 요즘은 다 짜여 나오니까 우린 옷만 예쁘게 만들면 되지.
집 짓는 사람은
건축에 일가견이 있지.
그래서 각자 그것을 직업으로 택하는 거야.
백수도 재주에 들어가나요?
그리하여 이 사람들이 모두 모여
하나의 국가를 이루는 거지.
국가
이렇게 다양한 사람들이 모여
국가를 이루었지만
이제 국가가 완성되었다.
국가
그래도 해결되지 않은 것이 있지.
헉! 뭐… 뭐가?

그 나라에서조차도 자체적으로 해결하기 힘든 것들이 있을 수 있다는 거야. 예를 들어….
우린 쌀은 많은데 석유가 나오지 않아.
그럴 땐 석유가 많이 나오는 나라에서 수입을 해야 할 테고 반대로 남아도는 쌀은
저 쌀과 석유를 바꾸어야겠다.
이렇게 수입과 수출이 이루어지는 거야.
석유
자, 그럼 무역 거래를 맡아 하는 무역상이 또 등장하겠지.
이렇게 '무역상'이란 직업이 새로 탄생하는 거지.
옛날에는 무역상들이 배를 타고 물건들을 싣고 다니면서 거래를 했어.
물론 요즘도 배가 무역업에 중요한 수단이 되기도 해.
석유 같은 큰 규모는 아직도 배를 이용하지.
그렇지만 이젠 상대방을 직접 만나지 않고도 인터넷을 통해 의사소통을 하고 있어.
예전 같으면 일일이 만나야 했지.
인터넷이 세상을 완전히 바꿔 놓은 것은 사실이야.
이제 국가에는 무역상만 등장한 게 아니라,
우리 말고 또 누가 필요하다는 거야?
국가 안에서 물건을 사고팔기 위해 '화폐'라는 것이 만들어지기도 하고,
옛날엔 쌀이나 채소를 들고 다녀야 했는데…. 진짜 편해졌어.
마트
또한, 소매상도 나타나게 되지.
조금씩 파는 대신 약간 비싸게 파는 거야.
소매상은 쉽게 말해 너희가 가장 가까이 접하는 상점을 말해.
슈퍼마켓
별사탕 한 봉지 주세요.

시장에서 자리를 잡고 있다가 물건을 팔러 오는 사람에겐 물건을 받아 돈으로 주고
별 사탕 네 박스 들여 놓을까요?
아니, 세 박스만 줘요.
우갈
사러 온 사람에겐 돈을 받고 물건을 건네주는 일을 하지.
별 사탕 두 개 주세요.
500원 이다.
이런 일은 몸이 약한 사람도 능히 할 수 있는 일이지.
난 체력이 약해서 힘든 일은 못해.
물론 오늘날의 소매상들이 몸이 약해서 그 일을 하고 있다고 생각하면 오해야.
라멘
몸도 건강하고 부지런하고 손님들의 마음도 읽을 줄 알아야 하고
바쁘다, 바빠! 이 일이 은근히 손이 많이 가거든.
돈 계산도 잘해야 하겠지.
이상하다 왜 자꾸 계산이 틀리는 거야?
소매상 외에 소크라테스가 말하는 국가에 등장하는 또 하나의 직업군은 바로
우리 같은 임금 노동자들 이지.
튼튼한 체력으로 돈을 받고 전문적으로 노동을 하는 사람들이야.
슥 슥
혹시 너희들 중에 자기 몸이 튼튼하다고 임금 노동자를 장래 희망으로 생각하는 친구는 없겠지?
설마요~.
건설 현장이나 건축 현장에 없어서는 안 될 소중한 존재들이지만
뚝딱 뚝딱
운동을 하는 것이 아니라 노동을 하는 것이니
이건 같은 땀이 아니란다.
이 일을 오래 하면 몸 곳곳에 손상이 올 수도 있어.
위험한 곳에서 일하는 만큼 사고의 위험성도 크지.

자, 이제 국가에 여러 가지
직업군이 등장했으니,
와글와글
국가의 크기는 점점 커지겠지.
생존에 필수적인 것뿐만 아니라
밀지 마~ 밀지 마~.
안 되겠어. 국가를 좀 키워야지.
시끌
벅적
생활을 보다 윤택하게 하는
취미와 여가에 관련된
직업들도 등장해.
사람이 어떻게 밥만 먹고 사니?
사냥꾼, 예술가, 유모, 시녀,
이발사, 요리사 등등.
유모나 시녀는 좀 생소한데요?
물론 현대 사회에 오면서 없어진 직업도 많이 있지.
반면에 현대 사회에는 너무나 많은
직업이 새롭게 생겨나고 있어.
등굣길에 만나는 버스 기사 아저씨부터
학교 선생님, 문방구 주인,
수위 아저씨들….
여기서 잠깐! 우리나라 전체 직업의 종류가 무려 1만여 개나 된단다.
우아!
참고로 한국 직업 능력 개발원에서 조사한 게 있어.

전국 초등학교 고학년 학생들에게 장래 희망을 조사한 결과야.
전국 초등학생
장래희망
설문조사

남학생	여학생
①프로게이머	①교사
②운동선수	②가수
③컴퓨터 전문가	③배우 · 탤런트
④과학자	④디자이너
⑤발명가	⑤아나운서
⑥경찰관	⑥의사
⑦탤런트	⑦코디네이터
⑧판사 · 검사 · 변호사	⑧교수
⑨의사	⑨간호사
⑩동물 사육사	⑩만화가

이제 사람들의 생활은 점점 윤택하면서 호화로워지고 있어.
자기 나라의 영토와 재산만으로는 턱없이 부족한 상황이 되고 말아.
여긴 내 땅이야!
무슨 소리! 여긴 내 할아버지 때부터 우리 땅이었어!
이러면… 어떤 일이 벌어질까?
정답은 전쟁이야.
전쟁을 하자면 모든 국민들이 나서서 무기를 들고 싸울 수도 있지만
우리가 꼭 나서야 돼?
싸우는 것을 아주 잘 하는 사람들이 있게 마련이야.
두~두.
각자가 타고난 소질에 맞게 한 가지 일만 하는 세상이니까 말이야.
야-님
전쟁에 관한 일이야 말로 일 중에서 가장 중요한 일입니다.
유능한 전사가 나라를 제대로 지키지 못하면 나라는 문을 닫고 국민들은 뿔뿔이 흩어지게 되겠지.
쾅-
여기서 소크라테스는 국가를 구성하는 계급을 크게 두 개로 나누었어.
시민 계급
수호 계급
생산을 담당하는 시민 계급과 나라를 지키는 수호 계급으로 말이야.
우리가 생산을 담당하는 시민 계급.
앞서 말한 싸우는 사람, 즉 전사는 수호 계급에 속하지.
우리가 수호 계급이지.

소크라테스는 국가의 수호자야말로 국가를 지키는 가장 중요한 일을 맡은 사람들이므로
국토수호
나라를 지키는 일에 필요한 기술과 관심을 갖고 있어야 한다고 했어.
적보다 우수하고 탁월한 성능의 무기를 만들어야 합니다!
그럼 나라를 지켜야 할 수호자들이 어떤 성향을 가져야 하는지 알아볼까?
슈퍼맨 같으면 될 거 같은데.
국가
앞서 말했다시피 내 책에는 '비유'가 많이 등장해.
여기서는 수호자를 개에 비유하고 있어.
허걱, 그럼 우리가 개… 같은?
지키는 일을 한다는 점에서 공통점이 있다는 거지.
그럼 그렇지. 좋은 공통점이 있었어.
우선 감각이 예민해야 하고
킁킁
누군가를 쫓을 때는 날렵해야 하고
게 섰거라!
상대방과 싸울 때는 힘이 세야 하겠지.
게다가 잘 싸우려면 용감하기도 해야지.
으악! 난 칼을 들었다고.
왈 왈~
그런데 말이야. 용감하다는 것은 격정적이라는 말도 되거든. 말하자면 성품이 거칠다는 거야.
헉, 그게 그런건가?
그런데 아무에게나 거칠어서는 안 되는 거잖아.
우린 여자들에겐 거칠지 않다고요.

소크라테스가 계속 이야기를 진행해 나가다 보니 개든 수호자든 적들에게는 거칠어야 하지만
으르릉~
친근한 사람에게는 온순해야 한다는 결론이 나왔어.
이렇게 온순하면서도 동시에 대담한 기질을 가진 사람이 과연 있을 수 있을까?
상반되는 기질을 동시에 갖춘다는 것이 가능할까?
그렇지 않다면 좋은 수호자가 못 되는데….
이야기가 이렇게 되자 소크라테스도 당혹스러워졌어.
그래, 그거야!
딱
온순과 격정을 동시에 갖출 수 있어. 자! 이 개로 예를 들어 보자.
혈통이 좋은 개는 머리가 영리해서 친근한 사람에게는 온순하고
휙
낯선 사람에게는 사납게 군다는 거지. 그러니 수호자들도 영리하면 충분히 그럴 수 있다는 것이고 말이야.
으르릉
즉, 수호자가 될 사람들은 천성적으로 격정적인 기질과 함께 지혜를 사랑해야만 한다는 거야.
물론 수호자이니만큼 날쌔고 힘이 세야 하는 것은 당연하겠지.
으… 나한테 바라는 게 너무 많아.
이제 소크라테스는 이들 수호자 그룹을 어떻게 양육하고 교육해야 하는지에 대해 이야기를 시작할 거야.
소크라테스의 이야기는 계속됩니다.
…

국기는 말한다!

국기는 나라를 상징하는 깃발입니다. 그래서 국기는 한 나라의 역사와 사회 제도, 미래에 대한 희망 등이 담겨 있어 그 나라를 이해하는 중요한 수단이 되기도 합니다. 우리가 살고 있는 지구에는 모두 193개의 나라가 있습니다. 아래의 다양한 국가들을 통해 국기 안의 무늬와 색이 무엇을 의미하는지 알아보세요.

대한민국

바탕의 흰색은 영토를 의미하고, 태극은 국민을 나타내요. 빨간색은 존귀를, 파란색은 희망을 의미해요. 귀퉁이의 4괘 중 왼쪽 상단의 건은 하늘과 봄을, 왼쪽 하단의 이는 태양과 가을을, 오른쪽 상단의 감은 달과 겨울을, 오른쪽 하단 곤은 땅과 여름을 상징해요.

멕시코

초록은 독립을, 흰색은 종교의 순수함을, 빨강은 여러 민족 사이의 통일을 상징해요. 가운데 그림은 독수리가 뱀을 물고 있는 것으로 건국 신화를 그림으로 나타낸 것이죠.

미국

7개의 빨간 줄과 6개의 흰줄은 최초 독립전쟁에 참가한 13개 주를 의미하며, 50개의 별은 미국의 여러 주를 상징해요.

브라질

초록은 농업을, 노랑은 자원을, 별자리 그림은 나라를 이루고 있는 여러 주를, 질서와 진보라고 적혀있는 흰 띠는 끊임없는 발전을 기원하는 거예요.

영국

영국을 구성하고 있는 아일랜드, 스코틀랜드, 잉글랜드의 기를 모두 합한 모양이에요.

중국

큰 별은 중국 공산당을, 작은 별은 노동자, 농민, 지식인, 자본가의 4계급을 나타내고, 빨간색 바탕은 중국의 국토를 의미해요.

호주

유니온 잭은 영국 연방의 일원임을, 아래의 큰 별은 이 나라의 6개 주와 지구를 의미하며 오른쪽의 5개 별은 남십자성을 상징해요.

일본

일본의 국기는 아주 단순해요. 가운데 붉은 원은 태양을 본 떠 만든 거예요.

독일

검정은 인권 억압에 대한 비참과 분노를, 빨강은 자유를 동경하는 마음을, 노랑은 진리와 명예를 상징해요.

대만

빨간 바탕은 중국의 전통색이며 영토를 표현해요. 파란 바탕은 국민당 정부를 나타내고 태양 주위의 12개 빛은 하루의 시간을 상징하며, 태양은 중국인의 정신을 나타내고 있어요.

그리스

파란색은 바다와 하늘을, 흰색은 독립을 위한 투쟁을, 흰색의 십자가는 그리스 정교를 상징해요.

남아프리카공화국

빨강은 독립을 위해 흘린 피를, 초록은 농업자원을, 파랑은 대서양을, 노랑은 풍부한 광물자원을, 검정과 흰색은 흑인과 백인을 나타내며, Y자 모양은 단합을 의미해요.

모로코

빨강은 왕실의 색이며, 가운데 별은 술레이만의 별로 이슬람교의 5가지 율법을 상징해요.

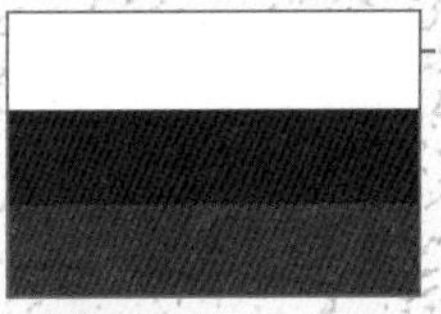

러시아

흰색은 평화와 정의를, 파란색은 성실과 신념을, 빨간색은 힘과 조국을 위해 흘린 피를 상징해요.

나이지리아

초록은 풍부한 농산물을, 하얀색은 평화를 의미해요.

제5장 수호자들의 교육과 생활

소크라테스는 앞글에서 국가를 구성하는 계급을
시민 계급과 수호 계급으로 나누었어요!
그래, 지금부터는 수호 계급에 대해서 본격적으로 이야기해 보는 거야.
말하자면 국가를 지키는 사람들인 거죠!
수호 계급에는 또 통치자를 보호해 주는 수호(전사) 계급과 통치 계급으로 구분할 수 있어.
우리가 전사 계급입니다.
결론적으로 시민 계급, 수호 계급, 통치 계급 이 세 가지로 나누어지지.
지금으로 보면 국민, 군인, 그리고 대통령과 고위 계층들을 들 수 있지.
여기에서 수호 계급의 교육은 아주 중요해.
응애 응애
우수한 자질을 갖고 태어났어도 적절한 교육이 따라야만 하지.
오우~ 이 아기는 천재야!
으악! 이 아기 힘 좀 봐! 아기 맞아?

당시의 음악에는 문학도 포함되어 있었어.
아름다운 그녀의 노래가 내 가슴을 울리네.
시와 설화 등의 이야기를 토대로 하니까 말이야.
아이, 너무 감동적이야.
드르릉 드르렁
이야기는 작가의 상상력의 산물이니 주로 '허구'라고 볼 수 있지.
그… 그렇죠.
작가
그러니까 어린이들에게 그대로 들려주지 않게 국가가 나서야겠지.
19
부도덕한 이야기가 그대로 전해지지 않게 철저한 감독이 이루어져야 해.
예를 들어 수호자는 죽음에 대한 공포심을 갖지 말아야 하는데
죽음 따위 두렵지 않아! 국가를 위해 명예롭게 죽을 수 있다면!
과연 그럴까?
만약 작가가 이야기로 죽음에 대한 공포를 키워 준다면
칼에 찔리면 어떨까? 무척 아플 텐데, 그 고통을 어떻게 견딜 수 있을까?
온몸에 경련이 일어날 정도로 참기 힘든 아픔의 끝이 바로 죽음일 텐데 말이야.
결국 수호자는 제대로 자기 역할을 할 수가 없게 된다는 거지.
나 집에 갈래. 전쟁터에 가기 싫어!
이… 이야기일 뿐이야.
따라서 국가는 죽음을 찬양하고
나라를 위한 죽음은 가장 크나큰 명예요, 영광스런 선물이다!
영광스런 죽음! 영광스런 죽음!
국가
지옥에 대해서는 부정적으로 묘사하지 말아야 한다는 거지.
지옥은 말이야 화끈하고 아주 재미있는 곳이라니깐!
아, 가 보고 싶다.
또한 작가들이 수호자(전사)를 묘사할 땐
영웅다운 면만 그려!
네.
국가

행여 영웅들의 약한 모습이나 비굴한 모습이 드러나면
슈퍼맨이 저렇게 약해? 이름 바꿔라!
퍽~
보통 사람들은 영웅도 자기들과 다를 바 없다고 생각하고
뭐야! 슈퍼맨이 넘어지기까지! 한심하긴, 나와 다를 게 뭐 있어?
자신들의 부족함에 대해 전혀 반성하지 않기 때문이래.
웃기고 있어. 작은 돌부리에도 넘어지는 자식이. 너나 잘해 임마!
무엇보다 청년들이 수호자에 대해 복종하는 마음을 갖고
사인 한 장만요.
도덕적으로 문란해지지 않도록 하는 것이 아주 중요해.
매너도 좋고 아주 친절해. 넘넘 멋있어.
또한 부정한 사람은 불행해지고
세금 떼어 먹으려다 일생을 감옥에서 보내게 생겼어. 으흑!
선량한 사람은 행복해지며
로또에 당첨되셨습니다!
모든 부정부패는 결국 탄로 나서
내 다리 일부러 부러뜨렸지! 너도 한번 혼나 봐!
결론적으로 '정의가 지켜져야 이로운 것이다.' 라는 이야기를 써야 한다는 거지.
윽, 재미없다!
휙
한마디로 작가들은 '검열'을 국가로부터 받아야 한다는 거야.
국 가
언론의 자유를 다오! 이렇게 정해진 틀 안에서 무슨 창작이 나올 수 있다는 거야?
쾅
찍!
검열

자, 이제 체육에 대해 알아볼까?
체육은 몸을 보살피기 위한 것보다는
아웅, 따분했어! 신 나게 달려야지!
달리긴 뭘 달려.
정신을 단련하기 위한 교육이지.
오늘부터 정신 교육에 들어간다, 실시!
체육 시간에 웬 정신 교육?
단순한 식생활과 생활 습관을 들이는 것도 중요해.
어라 음식을 남겨?
너무 유난스럽지 않게 하시길.
보다시피 소크라테스가 주장하는 교육 프로그램은 아주 치밀하지.
할아버지, 꼼꼼한 A형 맞죠?
교육 방법이 아직까지는 주입식인 것 같지 않아?
그게 뭐?
그리고 교사의 역할에 대해 별로 언급이 없는 것도 좀 특이하고 말이야.
우리 조연이라도 출연시켜 주세요, 네?
이제 음악 교육과 체육 교육을 마친 17, 18세의 청소년들은
축하해! 축하해!
축하하긴 아직 이르지. 배울 게 아직 더 남았어.
20세까지 경험이 풍부한 지휘관의 지도 아래
병사들을 돕고 위험을 극복하는 능력을 기르지.
저 산을 오를 것이다! 가져갈 것은 이 물 한 병뿐이다! 살아오길 바란다!
물론 교육받는 학생들의 평가는 수시로 이루어지겠지.
못 온 사람은 모두 다섯 명이지. 탈락!
이제는 20세가 된 수호자 집단에서 장차 통치자가 될 사람을 가려내는 과정이 남았어.
난 합격해야 해! 여기까지 오기 위해 얼마나 힘들게 버텨왔는데.
떡 먹어, 찹쌀떡!

이제 수호자 집단에서 일부는 통치자가 되고 나머지는 통치받는 입장으로 바뀌는 거야.
야호! 합격 먹었어!
너무해. 얼마나 힘들게 왔는데!
일종의 '서바이벌 게임'이라고나 할까?
다시 말해서 철학 교육을 더 받을 사람과 그렇지 않을 사람이 분류되는 과정이지.
싸움은 힘으로만 하는 게 아니거든!
여기도 '장유유서'의 개념이 적용되는지 연장자가 통치자가 되고
명석한 머리와 오랜 연륜의 경험까지 더한다면 통치자가 되는 게 당연하지.
으쓱
연소자가 통치받는 사람이 되는 게 바람직하다고 해.
예를 든 것 뿐인걸 갖고… 쯧!
또한 통치자는 자질이나 능력 면에서도 가장 훌륭한 사람이어야 하지.
이 두 가지를 갖춘 사람이 과연 얼마나 될까? 또 어떤 종류의 사람일까?
이 두 가지를 갖춘 사람이 어떤 사람이냐고?
통치자님 몸 상하십니다! 이제 그만 주무셔야지요.
바로 국가에 이롭다고 생각되는 일엔 온 열의를 다하고
벌써 3일 밤을 새고 계신다니까. 저러다 병나시겠어.
변함없이 평생 동안을 그렇게 살아갈 사람이지.
이것이 그의 일생에 확고한 신념이 되어야 하고
난 오로지 우리 국가와 국민을 위해서만 살 것이다!
불끈
어떠한 유혹이나 강압에도 약해지지 말아야 하는 거야.
그러려면 젊은 시절부터 끊임없이 테스트를 하는 수밖에 없는 거지.
난 할 수 있어! 난 할 수 있다고!

통과된 사람만 뽑고 나머지는 가차없이 탈락시키는 거야.
악
테스트는 또 있어.
헥 헥
온갖 고통과 경쟁심, 유혹….
아까 한 거잖아요!
내 맘이야!
마치 망아지를 소란스러운 곳으로 끌고 가서 겁이 많은지를 살펴보는 것처럼 말이야.
나라의 통치자를 뽑는 일인데
이 정도는 필수 코스지, 안 그래?
언뜻 보면 세심한 것 같지만 아무래도 소심한 A형 맞는 것 같아.
?
이제 모든 시험을 무사히 통과한 소수의 사람들을
와 아
저렇게 좋을까?
국가의 통치자로 임명하지. 그들에게 명예는 물론
나중에 무덤이나 기념물에도 최대의 특전을 주는 거야.
죽은 다음에 무덤이나 기념물이 무슨 소용이 있다는 거지?
우리 시대와 네가 사는 시대의 가치관은 다르단다.
또 아쉽게 탈락한 사람들은 통치자를 돕는 보조자나 협력자가 되는 거야.
내가 조금만 더 잘 했더라면 저 자리에 앉아 있을 텐데….
물론 넓은 의미에서는 나라를 지키는 수호 계급에 속하니까
그래도 뭐 난 국가에 없어서는 안 될 존재! 국민을 위해 충성하는 거야!
수호자(전사)라고 부르지.
충성! 아자! 아자!

우리나라에서도 통치자인 대통령을 뽑자면
올해 대통령 선거 하는 거 맞지요?
기특한 녀석 별걸 다 아네.
후보로 나선 사람들을 여러 가지 방법으로 테스트한단다.
방송 토론회에 나란히 앉혀 놓고
당신 아들 군대 문제 고자질할 거야!
나 이거 참! 말싸움엔 약한데.
진짜 인물 없네. 아무나 다 나왔어!
곤란하고 까다로운 질문들을 던져 대답들을 비교해 보기도 하고
병역 비리 의혹에 대해선 뭐라고 하실 건가요?
그건 비리가 아니라 발바닥이 평발 비슷해서….
과거의 행적들을 샅샅이 조사하기도 해. 뿐만 아니라
평발은 무슨! 대학생 때 마라톤 시켰잖아!
왜 나만 갖고 그래? 후보 3도 군대 안 갔잖아!
조상부터 일가친척에 이르기까지 재산이나 군대 비리는 없는지
30년도 더 지난 얘기를 또 해? 땅 투기 건은 몰라야 하는데….
철저하게 파헤치는 거야.
고위 공직자들도 마찬가지야.
인사 청문회라는 걸 통과해야만 그 자리에 임명될 수 있어.
아이고 간신히 넘겼다.
뭔가 찜찜한걸.
이런 검증 절차를 이겨낼 자신이 없으면
안 나서는 게 상책이지.
크윽, 괜히 선거에 나와서 돈 날리고 감사받고….
남은 인생에 먹구름이 낄 수도 있으니까.
쿠구궁
그만큼 고위 관리에게는 남다른 도덕성이 요구된다는 말씀!
글쎄, 요즘 세태로 보면 도덕성은 그야말로 옛날이야기 같은걸.

한 가지 놀라운 이야기를 해 주지!
뭔데? 뭐야? 뭘 해 줘?
소크라테스는 이렇게 말했어.
우선 거짓말을 만드는 거야.
무슨 거짓말?
국가적 차원의 거짓말을 만들어 모두가 믿을 수 있게 하는 거지.
일종의 '신화'와 비슷한 것을 만드는 거지.
내가 바로 신라의 시조 '박혁거세'야.
예를 들어 수호자들은 태어나기 전부터 이미 땅 속에서 만들어져 양육되어 왔고
우리가 사용하는 무기들도 땅속에서 만들어진 거래.
우리가 오랫동안 만들어진 것처럼 무기도 참 긴 세월 동안 만들어졌구나.
수호자와 수호자들이 사용하는 무기와 장비가 땅속에서 다 만들어진 후
대지의 어머니로부터 지상으로 올려 보내졌다는 이야기야.
그래서 누군가 이들이 살고 있는 고장을 공격해 오면
이웃 나라가 쳐들어왔다!
와 아!
어머니를 지키듯 이 고장을 방어해야 하는 거야.
이 나라는 우리가 지킨다! 누구도 이곳을 침범하지 못해!
맞아. 전사들이 우리에게 있는 한 두려울 게 없지!
와 아 아-
또한 다른 시민들에 대해서도
위대한 전사님들! 부디 가여운 우리들을 지켜 주세요!
물론 지켜 줄게. 그러기 위해 우리가 존재하는 거야!
형제들을 위하듯이 대해야만 하지.
수호자

위대한 철학자가 거짓말을 만들어 사람들에게 들려 줘야 하다니….
이건 거짓말이라기 보다는….
하지만 두 번째 이야기까지 들어 보면 수긍이 갈 거야.
이야기는 끝까지 들어 봐야지.
소크라테스가 하는 두 번째 말은 더 재밌어.
신이 사람을 만드는 과정에서 계급에 따라 다른 재료를 쓴 거야.
재료?
통치자가 될 사람에겐 금으로, 보조자에게는 은으로, 나머지 일반 시민은
금
은
그럼… 나는?
쇠와 구리를 섞어 만들었다는 거야.
쇠와 구리라니, 너무하는군.
소크라테스는 출신 성분이란 속일 수가 없는 것이어서
자기와 닮은 꼴의 자식을 낳게 되는 거지.
그러나 때로는 금의 부모에게서 은의 자식이
은의 부모에게서 금의 자식이 태어날 수도 있다는 거야.
저 아이가 우리 아들이라니 너무 자랑스러워요.
물론 구리의 부모에게서 금의 자식이 태어날 수도 있지.
과외를 안 해도 항상 1등이래요.
이런 사태가 발생하면 부모는 어떻게 해야 할까?
엄만 책 제목도 못 읽겠구나.
당연히 자기 자식들이 실제로 지니고 태어난 성분에 맞게 살게 해 줘야 하겠지.
우리로서는 감당할 수 있는 아이가 아니에요. 어쩌죠?
금의 부모에게서 태어난 구리 자식은 일반 시민으로 살게 해 줘야 하고
실망스럽기도 하고 가엾기도 하고…. 어쩌면 좋을까?
Z Z Z

반대로 구리 부모에게서 태어난 금이나 은의 자식은
그래, 우리처럼 살아서는 안 되겠지. 부디 훌륭한 수호자가 되기를….
통치자나 수호자의 지위로 올라가게 해 줘야 한다는 거지.
아버지, 어머니! 부끄럽지 않은 수호자가 되겠습니다. 건강하세요.
왜냐하면 쇠나 구리 성분을 가진 사람이 국가를 다스리면
제 자식이에요. 금이나 마찬가지죠, 뭐.
멸망하게 된다는 신의 말씀 때문이지.
저게 무슨 통치자냐! 갈아 치워!
금
이런 이야기까지 만들어 내야 하는 이유는 뭘까?
무엇일 것 같니?
알 것 같긴 한데….
소크라테스는 각자 타고난 성향에 맞는 일을 해야 한다고 하는 거지.
너는 노는 걸 제일 좋아한다고 했지? 그런 너에게 노는 걸 못하게 하고 공부만 줄곧 시킨다면, 그 공부가 제대로 되겠니?
아뇨! 절대 안 되죠!
그래서 각자가 맡은 일에 종사함으로써
전, 시험 때도 공부하기 전에 게임 30분은 꼭 해야 공부가 된다고요.
뾰 뽀 - 뽀
마치 국가 전체가 하나의 몸처럼 유기적으로 움직이도록 하자는 거야.
정말 이상적인 이야기지? 하지만!
이상과 현실은 정말….
글라우콘!
예, 스승님!
이런 이야기를 모든 사람들이 곧이듣게 할 방도를 자네가 알고 있는가?
당장에 그럴 방도는 없습니다.
역시 그렇지….
하지만 스승님!
오! 말해 보게.
시간이 해결해 줄 수도 있을 겁니다.

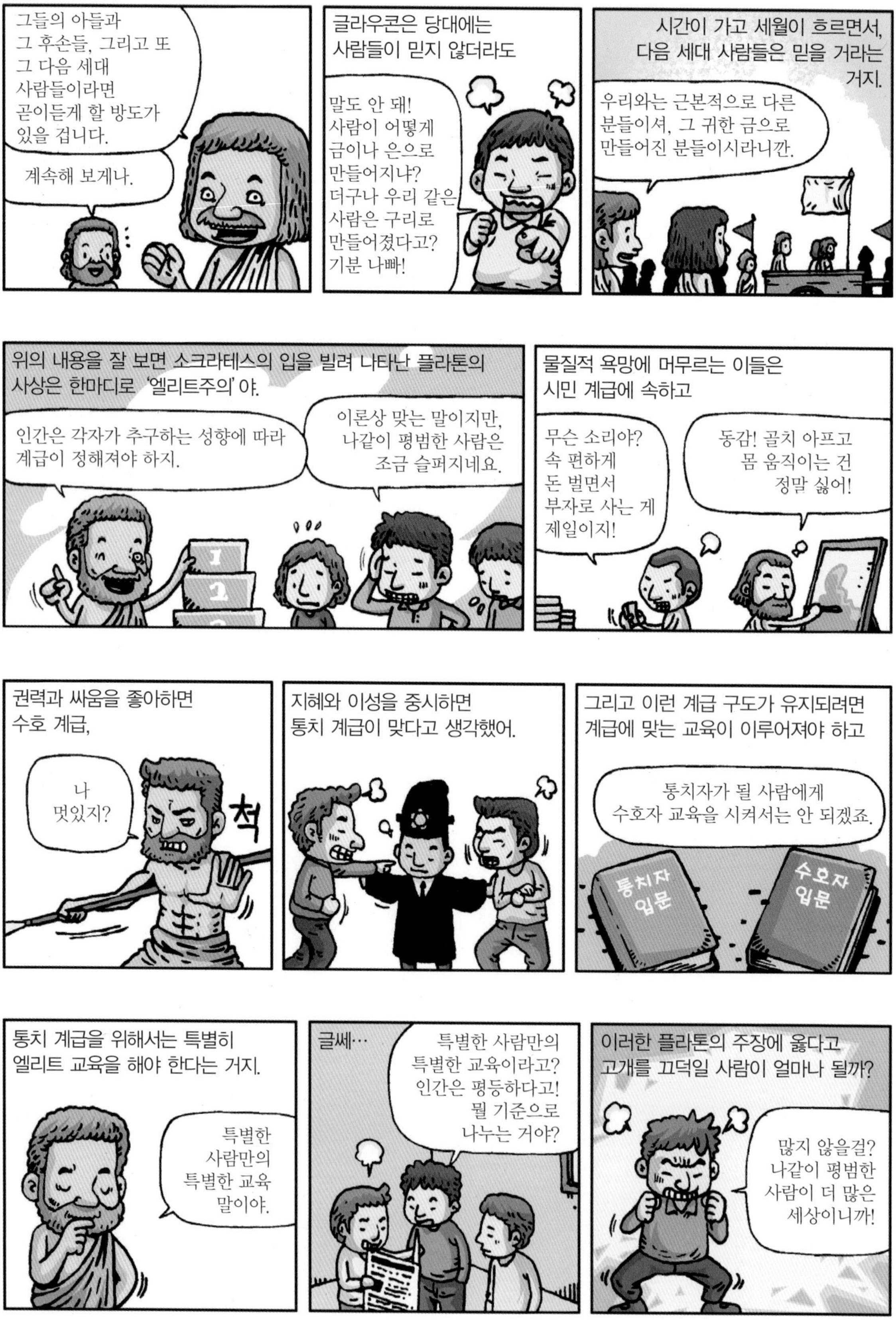

그들의 아들과 그 후손들, 그리고 또 그 다음 세대 사람들이라면 곧이듣게 할 방도가 있을 겁니다.
계속해 보게나.
글라우콘은 당대에는 사람들이 믿지 않더라도
말도 안 돼! 사람이 어떻게 금이나 은으로 만들어지냐? 더구나 우리 같은 사람은 구리로 만들어졌다고? 기분 나빠!
시간이 가고 세월이 흐르면서, 다음 세대 사람들은 믿을 거라는 거지.
우리와는 근본적으로 다른 분들이셔, 그 귀한 금으로 만들어진 분들이시라니깐.
위의 내용을 잘 보면 소크라테스의 입을 빌려 나타난 플라톤의 사상은 한마디로 '엘리트주의'야.
인간은 각자가 추구하는 성향에 따라 계급이 정해져야 하지.
이론상 맞는 말이지만, 나같이 평범한 사람은 조금 슬퍼지네요.
물질적 욕망에 머무르는 이들은 시민 계급에 속하고
무슨 소리야? 속 편하게 돈 벌면서 부자로 사는 게 제일이지!
동감! 골치 아프고 몸 움직이는 건 정말 싫어!
권력과 싸움을 좋아하면 수호 계급,
나 멋있지?
척
지혜와 이성을 중시하면 통치 계급이 맞다고 생각했어.
그리고 이런 계급 구도가 유지되려면 계급에 맞는 교육이 이루어져야 하고
통치자가 될 사람에게 수호자 교육을 시켜서는 안 되겠죠.
통치자 입문
수호자 입문
통치 계급을 위해서는 특별히 엘리트 교육을 해야 한다는 거지.
특별한 사람만의 특별한 교육 말이야.
글쎄…
특별한 사람만의 특별한 교육이라고? 인간은 평등하다고! 뭘 기준으로 나누는 거야?
이러한 플라톤의 주장에 옳다고 고개를 끄덕일 사람이 얼마나 될까?
많지 않을걸? 나같이 평범한 사람이 더 많은 세상이니까!

그러나 이 같은 사상은 놀랍게도 오랜 세월 동안 인류를 지배해 왔단다.
맞아!
그건 그래. 서양이나 동양이나.
이는 곧 학식과 덕목을 갖춘 군자가 통치하는 것을 이상으로 여긴 동양의 유교사상과 일맥상통하지.
그러나 주인을 잘못 만나면 독재정치로 흐를 가능성도 있어.
내 맘이야! 내 맘대로 할 거야!
편안한 세상이 되긴 힘들겠군.
여기서 한 가지 주목할 것은
저런 인물이 뽑히면 정말 안 되지.
아이를 키울 때 부모가 잘 관찰하여 아이들의 본성에 맞는 일을 하도록 시켜야 한다는 점이야. 정말 중요한 얘기지.
어머머, 우리 장우는 힘이 아주 세서 대장님 해야 되겠다! 아유! 예뻐 죽겠어.
즉 자식을 키울 때 부모의 욕심으로 하지 말고
우리 아인 천재예요! 영재 스쿨을 보내야겠어요, 여보!
1년을 꼬박 배웠는데 그것도 못 하면 바보지.
자식의 소질에 맞게!
전 피아노 선생님이 되고 싶어요. 피아노를 치고 있을 때가 제일 행복하거든요!
그 능력을 잘 개발해 주라는 거지.
나는 피아노 소리에 맞춰 노래 부르는 가수가 되고 싶어요!
이제 흙에서 태어난 수호자들은
통치자들의 지도 아래 국가를 이끌어가지.
너희들은 이 나라와 국민들을 위해 대지의 여신으로부터 선택되었다!
와~
특히 그들은 병사들이기 때문에 어딘가에 주둔을 해야 해.

주둔지는 병사들 스스로 찾도록 하는데, 장소를 잘 골라야 하겠지.
이곳이 어떨까요? 대장님.
그곳은 너무 변두리야!
혹시 내부에서 반란자가 생기더라도 바로 진압할 수 있고
변두리는 이런 반란자를 쉽게 잡을 수가 없어!
외부에서 적이 침입해 오더라도 막아낼 수 있는 그런 장소 말이야.
한 발만 넘어와 봐! 난 두 발 쳐들어갈 테니!
장소를 정한 다음에는 신께 제사를 올리지.
부디 이 나라가 부강해질 수 있게 도와주소서!
그 다음에는 자기들이 지낼 막사를 짓도록 할 것이고
빨리빨리 움직이자. 겨울이 오기 전에 끝내야지!
그런데 말이야. 이 수호자들은 시민들보다 힘이 세고 강하잖아?
당연히 그렇죠! 그런 사람만 뽑았을 텐데.
생각해 봐.
마음만 먹으면 언제든지 힘없는 시민들을 제압할 수 있는 수호자들!
여기서 다시 한 번 개에 관한 비유가 나오지.
앞장에서 나온 거 기억하지?
네! 수호자를 뜻하는 거잖아요.
만약 양치기가 자기를 도와서 양 떼를 지킬 개 한 마리를 키우는데
래리! 그쪽으로 가는 양 떼들 이쪽으로 몰아 줘!
왈 왈
메에에
그 개가 양을 돌보기는커녕 오히려 양을 해친다면?
래리! 뭐하는 짓이야?
으르릉~
여기서 양은 누구?
국민이오!
그럼 양치기는 누굴까?
기게스요!
. . . .

아니야. 여기서 양치기는 그냥 통치자를 뜻하는 거야, 통치자.
하하, 저… 저도 다 알고 있었어요.
자, 통치자들은 수호자들이 국민을 해치는 일이 없도록 잘 감시해야겠지.
그런 비극이 일어나지 않으려면 수호자들에 대해서 제대로 교육이 이루어져야 하고.
이제 소크라테스의 이야기는 통치자들과 수호자들을 다 합친
우리를 합친다고?
넓은 의미의 수호 계급을 육성하는 방법에 이르고 있어.
여기서는 수호 계급의 실생활이 자세하게 그려지지.
우선 재산 문제야.
수호 계급은 사유 재산을 가지면 안 됩니다.
말도 안 돼!
오늘날 자본주의 사회에서는 상상할 수도 없는 일이지.
당연하지. 내가 지킬 재산이 없다면 뭐 하러 목숨 걸고 이 자리에 있겠어?
부동산 즉, 자기만의 집이나 땅을 가지는 것은 물론 금지하고
나라를 지키고 국민을 지키는 데 집이 무슨 필요가 있겠어?
생활 필수품은 시민들로부터 공급받아 쓰는데
이건 우리가 개인적인 욕망을 참고 시민들을 지켜주는 대가로 받는 거란다.
이불
그렇다고 펑펑 쓰고 남을 만큼 풍족하게 받지도 못하지.
조금만 더 주지. 어떻게 딱 병사 숫자만큼만 나오냐?
다음은 그들의 일상생활! 한마디로 군대 생활을 떠올리면 쉬워.
다 같이 취침! 다 같이 기상!
말하자면 공동생활이지.
그리고 이들에겐 나라에서 들려주는 이야기로 세뇌를 시키는 거야.
세뇌요? 뭘 세뇌 시켜요?

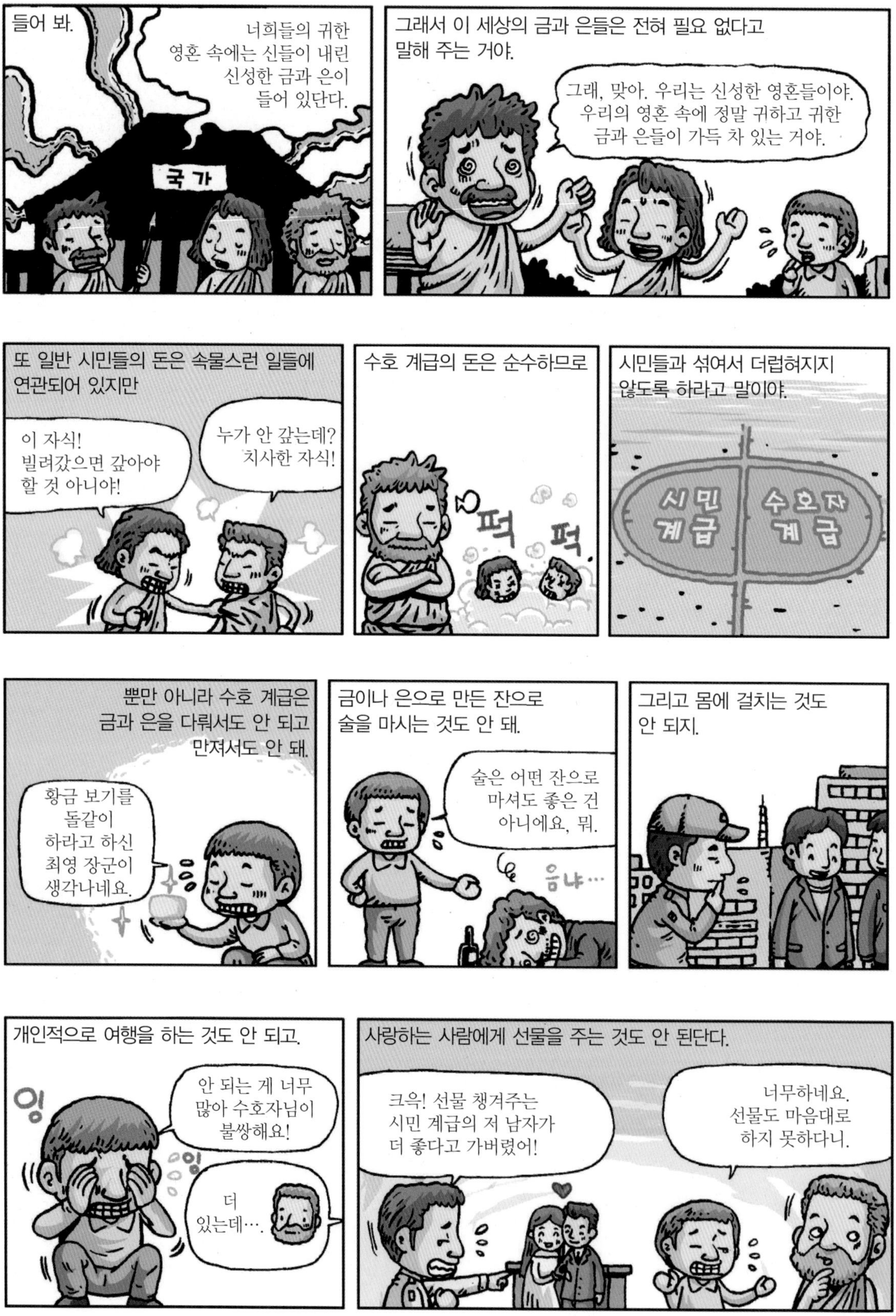

들어 봐.
너희들의 귀한 영혼 속에는 신들이 내린 신성한 금과 은이 들어 있단다.
국가
그래서 이 세상의 금과 은들은 전혀 필요 없다고 말해 주는 거야.
그래, 맞아. 우리는 신성한 영혼들이야. 우리의 영혼 속에 정말 귀하고 귀한 금과 은들이 가득 차 있는 거야.
또 일반 시민들의 돈은 속물스런 일들에 연관되어 있지만
이 자식! 빌려갔으면 갚아야 할 것 아니야!
누가 안 갚는데? 치사한 자식!
수호 계급의 돈은 순수하므로
퍽
퍽
시민들과 섞여서 더럽혀지지 않도록 하라고 말이야.
시민 계급
수호자 계급
뿐만 아니라 수호 계급은 금과 은을 다뤄서도 안 되고 만져서도 안 돼.
황금 보기를 돌같이 하라고 하신 최영 장군이 생각나네요.
금이나 은으로 만든 잔으로 술을 마시는 것도 안 돼.
술은 어떤 잔으로 마셔도 좋은 건 아니에요, 뭐.
음냐…
그리고 몸에 걸치는 것도 안 되지.
개인적으로 여행을 하는 것도 안 되고.
잉
안 되는 게 너무 많아 수호자님이 불쌍해요!
잉
더 있는데….
사랑하는 사람에게 선물을 주는 것도 안 된단다.
크윽! 선물 챙겨주는 시민 계급의 저 남자가 더 좋다고 가버렸어!
너무하네요. 선물도 마음대로 하지 못하다니.

그뿐 아니라 이들은 개인적으로 다른 곳에 돈을 쓰고 싶어도 쓸 수가 없어.
나도 읽고 싶은 책이 있는데 내 맘대로 살 수가 없으니….
서점
이 외에도 해서는 안 될 일들이 무척이나 많아.
이해가 안 돼요!
그 이유를 설명해 줄게.
만약 수호자들이 자기 땅과 집을 갖게 된다면 그들은 이미 수호자가 아니라
내 땅이야! 내 땅이라고!
가옥의 주인이나 농부가 될 것이고 다른 시민의 협력자라기보다는 적대적인 주인이 될 수밖에 없지.
내 땅에 있는 물 쓰지 마! 가물어서 내 곡식에 줄 물밖에 없어!
그러면 그들은 미워하고 미움을 받고 음모를 꾸미거나 음모의 대상이 되면서 한평생을 보내게 될 거야.
퍽
퍽
따라서 외부의 적보다는 내부의 적을 훨씬 경계하게 될 거고.
지네끼리 치고 박고 싸우는군.
퍽
퍽
그러는 동안 그들 수호 계급과 시민 계급은 모두 파멸하게 되겠지.
그래 계속 싸워라. 이제 곧 우리가 너희 땅을 접수하겠다! 하하하.
자, 어때? 이제 소크라테스의 생각을 이해할 수 있겠니?
네네….
소크라테스는 자신이 말한 이런 비극을 막으려면 수호 계급에 관해서는
꼭 지켜져야 합니다! 무슨 일이 있어도 지켜져야 합니다.
이 모든 규범들이 갖춰지고 지켜지도록 법을 만들고
그래서 그런 말씀을 하셨군요. 악법도 법이라고!
그렇지.
만들어진 법을 엄격히 준수해야 한다고 주장하고 있어.
6장에서 만나요.

파레토와 엘리트주의

플라톤이 《국가》를 통해 주장하고자 하는 핵심적인 사상 중의 하나는 엘리트주의입니다. '엘리트' 라는 말은 본래 '고급 상품' 즉 '명품' 을 뜻하는 단어였어요. 그러다가 17세기 무렵에 와서 '선택된 사람' 또는 '사회에서 핵심적인 역할을 하는 사람' 이라는 뜻으로 바뀌게 됩니다. 엘리트주의는 이들 선택된 사람들 중심으로 생각하는 것을 말합니다. 즉 소수의 엘리트가 사회나 국가를 지배하고 이끌어나가야 한다는 것이지요. 엘리트주의의 시조는 플라톤이라고 할 수 있지만, 엘리트주의를 체계적으로 연구한 사람은 이탈리아의 경제학자였던 빌프레도 파레토(1848~1923)입니다. 그가 엘리트주의를 주장하게 된 계기는 개미였습니다.

어느 날 파레토는 개미들의 움직임을 유심히 관찰하게 되었습니다. 그런데 이상한 점을 발견하게 됩니다. 대부분의 사람들이 알고 있는 것처럼, 모든 개미가 항상 열심히 일하는 것은 아니라는 진실을 깨닫게 된 것이지요. 그의 관찰에 의하면, 사실상 열심히 움직이며 일을 하는 개미는 전체 개체 중 20% 정도에 지나지 않았답니다. 이를 신기하게 생각한 파레토는 다시 열심히 일하는 개미만을 따로 모아 놓고 관찰하기 시작했어요. 그런데 그 부지런한 개미의 집단에서도 일하는 개미와 일하지 않는 개미가 생겨났으며, 그 비율은 역시 20%였어요. 이러한 현상은 노는 개미에서도 마찬가지여서, 놀기만 하는 개미를 모아 놓았을 때 그 안에서 일하는 개미와 여전히 노는 개미의 비율

이 20%였습니다. 개미의 생활에 큰 호기심을 가진 파레토는 벌의 생활도 관찰하여 역시 비슷한 결과를 얻어냈어요. 그러자 파레토는 인간 사회를 대상으로 연구하여, 역시 같은 결과를 얻어냅니다. 어떤 집단의 경우에도 20% 정도만 열심히 일을 하고, 나머지 80%는 대충 살고 있다는 것을 발견한 것이지요. 파레토는 이러한 현상을 '20대 80의 법칙' 이라고 불렀고, 세상 사람들은 이를 '파레토의 법칙' 이라고 부릅니다.

제2차 세계 대전 당시 독일군 병사들이 진군하고 있다. 당시 독일의 독재자였던 히틀러는 잘못된 엘리트주의로 게르만 민족주의와 반유대주의를 내세우며 유대인들을 탄압하고, 세계사의 상처가 된 두 번의 큰 전쟁을 일으켰다. 제2차 세계 대전은 결국 독일의 패배로 끝났다.

현대 엘리트주의의 창시자가 된 파레토는 엘리트가 건강하게 존재하는 사회는 앞으로도 발전이 가능한 사회, 안정된 사회라고 주장했어요. 나아가 국가의 정책도 상위 20%의 엘리트들에 의해 주도된다고 보았습니다. 파레토의 생각은 경제적인 관점에서 보면 어느 정도 일리가 있다고 할 수 있어요. 예를 들어 기업 매출의 80%는 20%의 우량 고객에 의해서 이루어지고 있는 경우가 많거든요. 하지만 엘리트주의는 많은 문제점을 가지고 있습니다. 엘리트주의가 가장 주목 받았던 시기가 제 1차 세계 대전 이후 히틀러의 나치스가 독일 정권을 잡을 무렵이었다는 사실에 주목하면 그 위험성을 알 수 있어요. 나치스는 엘리트주의가 낳은 대표적인 불행의 표상이었습니다. 최근에는 엘리트주의에 반대하는 이론인 '롱테일(Long Tail) 법칙' 이 등장했습니다. 머리에 해당하는 상위 20%가 아니라 꼬리에 해당하는 나머지 80%가 사회에 더 큰 영향을 끼친다는 이론입니다.

제 6 장
올바른 국가와 올바른 사람

여기까지 들은 아데이만토스는 새로운 의문이 생겼어.
만약에 어떤 사람이 이렇게 말한다면 선생님께서는 어떻게 대답하시겠습니까?
수호자들은 결코 행복한 사람이 아니군요.
엥?
정작 국가는 그들의 것이면서도 그들은 국가에게서 아무런 혜택을 못 받지 않습니까?
음….
아데이만토스는 수호 계급이 시민 계급에 비해 너무나 불행하다는 생각이 들었지.
우리 동정받고 있는 거 맞지?
왜냐하면 수호 계급은 그들만의 사유 재산을 갖지 못하고
저런 멋진 집이 내 거라면 좋겠네.
가치 있는 무언가를 소유할 수도 없고
규환
내 생일날 아빠가 심어 준 나무야. 어때, 부럽지?

인간으로서 행복하게 사는 데 필요한 것을 하나도 가질 수 없으니 말이야.
수호 계급에겐 개인 소유란 있을 수 없어!
이… 이것도 안 될까요?
통장
게다가 군대 못지않게 엄격히 통제된 공동생활을 해야 하잖아?
이 밤중에 어딜 가는 거야?
답답해서 산책 좀 하려고요. 안 되나요?
자기가 원해서 수호 계급이 된 경우도 있겠지만
당연히 안 되지! 들어가 자!
대부분은 자기 의사와는 무관하게 되었을 것이고
좋아서 여길 온 게 아니라고. 난 정말 자유롭고 싶어!
여기에 대해서 소크라테스는 어떻게 대답했을까?
제대로 대답하자면 아~주 길지.
간단히 요약자면 다음과 같은 거지.
국가라는 것이 생겨난 목적은 어느 한 집단만을 위한 것이 아니야.
즉, 개인이 아닌 국가 전체가 행복하게 살기 위한 것이라고 말이야.
'나'보다는 '우리'가 먼저라는 거죠?
그렇지!
그러니 전체의 행복을 위해서 수호 계급은 다소 희생을 감수해야 한다는 거지.
그러면 누가 수호 계급이 되려고 할까요?
그래, 아무도 수호자가 되고 싶어 하지 않겠지. 희생만을 강요한다면 말이야.
뭔가 방법이 있는 거죠? 그렇죠?
수호자들이 자기들의 사명을 가슴 깊이 인식할 수 있도록
당신들은 평범한 수호 계급이 아닙니다! 이 나라는 당신들 없이는 지켜나갈 수 없어요.
국가
그들을 설득해야 해.
정말 우리가 없으면 도대체 이 나라 어쩔 뻔한 거야?
그리하여 국가 전체가 번성하고 훌륭하게 기반이 잡히면
우리 모두 사사로운 것에 현혹되면 안 돼. 우린 선택받은 수호자니까!

각각의 집단은 성향에 맞는 행복을 누릴 수 있게 된다는 거지.
소유할 수는 없지만, 그때그때 내 행복을 맘껏 누릴 수는 있다고!
그러면 국민이 점점 늘어남에 따라 국가의 규모도 커질 텐데
으악! 나 비어져 나왔어!
어쨌든 다른 국가와 싸워 이기려면 일단 나라가 클수록 유리하지 않을까?
땅은 많을수록 좋은 거지 뭐. 안 그래요, 소크라테스님?
그러나 소크라테스는 무조건 나라가 크다고 좋은 건 아니라는군.
오! 절대 그렇지 않아! 나라가 지나치게 크면 오랫동안 유지되기가 아주 어려워져.
하나의 국가로 머물 수 있는 정도가 적당하다고 하지.
같은 의미로 지나치게 작아도 마찬가지고요.
바글
바글
너무 작지도, 크지도 않을 정도에서 단일한 국가로 유지되어야 한다는 거야.
국가의 힘이 곳곳에 고루 퍼져 나갈 수 있는 정도의 크기가 좋아.
무엇보다 중요한 것은 수호자에게 제대로 된 교육과 양육을 해야 하는 것인데
제대로 된 교육과 양육이라….
국가
수호자들이 훌륭한 교육을 제대로 받기만 한다면
모든 일은 순조롭게 진행된다는 거야.
특히 소크라테스는 '친구들의 것은 공동의 것'이라는 속담을 인용하면서
친구들 것이 내 것이라면, 내 것도 친구들 게 된다는 거네요?
그렇지!
수호 계급에서는 결혼과 자녀 출산도 공동의 행위가 되는 게 바람직하다고 하지.
음… 결혼시킬 때가 되었군.
결혼하는 것도 국가가 참견을 해야 한다고요? 플라톤 할아버지도 그렇게 생각하세요?
참견이 아니라 처음부터 끝까지 국가가 하는 일이야!

소크라테스의 발언은 결국 플라톤의 생각들이야.
아… 맞아, 그렇지. 플라톤이 소크라테스의 생각을 적은 거니까.
어쨌거나 파격적인 발상인 건 사실!
그래, 생각은 자유니까 뭐.
놀랬나 봐요, 스승님.
이에 대한 생각은 나중에 다른 장에서 다뤄질 거야.
뒤에 나올 내용에 비하면 아무것도 아닌데….
보통 플라톤의 사상을 다룬 다른 책들을 보면 이 대목을 가리켜
플라톤
'처자의 공유'라는 식으로 표현하곤 하는데, 이것은 잘못된 생각이야.
처자의 공유
공유라니. 그건 아니거든!
왜냐하면 배우자든 자식이든 결코 소유의 대상이 될 수 없어.
넌 내 거야!
이건 좀 다른 얘기지.
어쨌든 소크라테스가 한 말의 원래 의미는
흠흠.
수호자 계급에게는 나만의 배우자, 나만의 자식이 있으면 안 된다는 거야.
안 돼!
나만의 가족이 생김으로써
에그, 예쁜 내 강아지.
사사로운 이익과 욕망에 물들게 되는 걸 경계하는 거지.
너를 위해서라면 아빠 뭐든지 해 줄 거야!
요즘도 가족 이기주의라는 말이 있잖아?
우리 아이는 먹는 것도 최고! 입는 것도 최고! 교육도 최고!
공동체 전체의 이익은 생각하지 않고 우리 가족만 잘살면 된다는 것 말이야.
맞아요. 그건 좀 그래요.
후훗.

이렇게 해서 일단 국가가 출발을 하게 되면
레디 고!
국가
건전한 양육과 교육을 통해서 훌륭한 자질의 수호자들이 자라날 것이고
칙칙 폭폭
출산 결과도 조상보다 더 뛰어날 거래.
난 뛰어난 수호 계급의 핏줄을 물려받은 아기예요. 어쩌면 통치 계급이 될지도 몰라요.
수호자들에 대한 교육은 계속해서 이루어져야 하고
나도 저런 거 배우고 싶어!
얍-
모든 것이 기존에 지켜졌던 질서대로 이루어져야 한대.
바보! 수호자 아이들은 선택받은 아이들이야. 우린 그들이 될 수 없다고!
또한 그들은 법률 없이도 올바른 생활 태도를 유지할 수 있도록 교육받지.
이제 우리의 국가가 만들어졌어.
다음으로는 도대체 올바름과 올바르지 못함이 어디에 있으며, 이 둘이 어떤 점에서 다른지를,
그리고 장차 행복해질 사람은 이 둘 가운데 어느 것을 지녀야 할 것인지를 생각해 보자.
그리고 소크라테스는 국가 차원의 올바름을 탐구하기 시작하지.
국가차원 올바름
그는 올바른 국가는 지혜, 용기, 절제, 그리고 올바름을 갖추어야 한다고 말해.
지혜와 용기, 그리고 절제?
그래. 그러면 훌륭한 국가가 될 수 있다는 거지.
국가를 꼭 사람인 것처럼 말하니까 이상해.
거기! 자꾸 구시렁 거리지 마!

이제 이 훌륭한 국가가 갖고 있는 각 측면들을 고찰해 보자고.
고찰? 갈수록 어려운 말만 나오네.
계급에 따라 갖춰야 할 덕목이 다 다르거든.
윽! 덕목? 덕목은 또 뭐야?
다다다
우선 국가도 사람처럼, 지혜가 있느냐 없느냐를 따질 수가 있는데,
뭐? 우리가 무식한 국가라고? 매운 맛 좀 볼래?
상대하면 안 돼. 물, 불 안 가리는 무식한 집단이야.
이 훌륭한 국가는 지혜, 즉 분별력을 갖추고 있어.
똥이 무서워서 피하는 게 아니거든. 더러워서 피하는 거지.
내가 무서워 꼼짝도 못하는 게!
분별이란 지식으로부터 나오는 것인데
공부하자! 저런 무식한 나라는 함부로 말하지 못하게 말이야.
이 국가는 대체 어떤 종류의 지식을 갖고 있다는 걸까?
대체 뭘 공부한다는 거야?
그건 바로, 국가 운영에 관한 지식이란다.
국가 운영에 관한 지식? 국가야 그냥 운영하면 되는 거지, 뭘 유난스럽게!
국가의 특정 부분에 관한 전문적인 지식이 아니고,
무슨 소리! 작은 가게 하나를 운영하더라도 알아야 할 게 얼마나 많은데!
국가 전체에 관한 철학적 지식이란다.
정말 고급 지식이지. 아무나 배울 수 있는 게 아니야.
이런 고급 지식은 국민 모두가 갖는 게 아니고, 바로 통치 계급만의 전유물이지.
으흠!
통치자들은 비록 수적으로 제일 적은 집단이지만,
통치 계급
수호 계급
시민 계급
국가가 전체적으로 지혜로울 수 있는 것은 바로 이 통치 집단의 지식 덕분이야.
공부! 공부! 국가를 지혜롭게 운영할 수 있는 최고의 방법이지!
수호자

그래서 통치자는 국가를 하나의 몸으로 봤을 때 머리 부분에 속한다는군.
그러니 머리는 곧 두뇌, 그리하여 지혜를 지니고 있다. 말이 되지?
내 머릿속에도 지혜가 가득 차 있다는 거죠?
자세히 들어 봐.
이 지혜는 어디서 나오는 걸까?
땅에서 솟는 걸까? 아니면 하늘에서 떨어지는 걸까?
당연히 책도 많이 읽고 생각도 많이 해야지요!
그래, 다름 아닌 깊은 철학적 사색을 통해 얻어지는 거지.
결론적으로 통치자에게는 지혜가 필요하다는 말이야.
이제는 용기에 대하여 알아보자고.
드디어 우리 이야기가 시작되는군.
만화나 영화, 게임 속 용감무쌍한 주인공들을 많이 봤을 거야.
어떨 때 보면 용감하다 못해 무모해 보일 정도지.
너희들 같으면 상상도 못할 일을 겁도 없이 마구 저지르잖아?
주인공은 결코 죽는 법이 없으므로 용기 있게 나서도 뒤탈이 없거든.
당근이죠! 컴퓨터 게임 속이니까. 사람처럼 나약하게 금방 죽어버리면 누가 게임을 해요?
하지만 현실은 절대 그렇지 않지.
도둑 잡아라!
씽
용감하다는 것, 용기가 있다는 것에 대해 너희도 이번 기회에 한번 생각해 봐.
용감해지는 것 진짜 어려워요.

소크라테스에 따르면 용기는…
아무리 두려운 일이 있어도 생각이나 판단이 흔들리지 않는 거지.
이런 용기 역시, 올바른 교육에 의해 길러지는 건데
와! 교육을 받으면 용기도 생긴다고요?
올바른 교육!
교육을 통해서, 두려운 것이 무엇이고 두려워해서 안 되는 것이 무엇인지,
아, 올바른 교육! 어쨌든 저도 그런 교육을 받고 싶어요! 용감하고 싶다!
분명한 생각이 마음 속에 자리잡게 되지.
어떤 고통이나 쾌락, 욕망, 공포가 닥쳐와도
드르렁
그 생각이 흔들리지 않는 사람이 바로 용기 있는 사람이란다.
씨익~
소크라테스는 여기서 '염색'의 비유를 이야기해.
염색? 갑자기 무슨 염색이오? 이런 거요?
염색을 할 때는 미리 준비를 철저히 해야만 해.
맞아요. 우리 아빠도 중화제 빼먹고 염색한다고 엄마한테 혼났는데….
그래야만 어떤 탈색제에도 염색물이 안 빠진다는 거야.
그 머리 상당히 부담스럽구나. 가려주면 안 될까?
멋있는데.
전사들을 선발하여 음악 교육과 체육 교육을 하는 것도 이런 염색 과정과 비슷하고
흠, 좋군.
국민 중에서 특히 이 용기를 지녀야 하는 집단은 바로…
바로 우리! 국가를 수호하는 전사들이지.
전사 계급은 몸으로 따지면 가슴에 해당돼.
통치자
수호자
오! 통치자는 머리, 수호자는 가슴.

이제 절제가 남았지?
다이어트, 다이어트!
저런 것도 절제인 것 맞죠?
소크라테스가 말하길 절제는 음악에서 사용하는 화성(하모니)과 비슷하대.
아 아 아
언뜻 들으면 잘 이해가 안 되지?
네… 좀 쉽게 풀어 주세요.
보통 절제는 잘못된 쾌락이나 욕망을 억제하는 것을 뜻해.
그럼 위의 저 뚱뚱한 누나가 하는 것도 절제 맞네요!
그… 그렇지.
자기 자신을 이긴다(자제한다)라고 종종 표현하잖니?
알겠다! 너무 쉬워요, 너무 쉬워!
가벼운 녀석….
그런데 사람의 혼에는, 보다 나은 부분과 보다 못한 부분이 있어서
쉽게 얘기해도 될 걸 꼭 저렇게 어렵게 얘기하네.
나은 부분과 못한 부분?
나은 부분이 못한 부분을 이길 경우, '자기 자신을 이긴다.' 라고 한다는 거야.
와! 나은 부분이 이긴 거네!
국가도 사람과 마찬가지여서 보다 나은 사람들과 보다 못한 사람들이 함께 있대.
사실 그렇지.
이때 보다 나은 사람들이 보다 못한 사람들의 욕구를 제압하면,
우리 관리자들의 월급 인상을 제의합니다!
안 됩니다! 장마로 인해 흉년이 들어 국민들의 생활이 어렵습니다!
그 돈을 수해를 입은 국민들을 위해 써야 합니다! 아시겠습니까?
쾅
이 상태를 '자기 자신을 이긴 것'으로 보는 것이고
넵! 아… 알겠어요. 무서워요, 노려보지 마세요.
비로소 절제 있는 국가가 된다는 거야.

그리고 더 나아가, 통치자들과 통치받는 사람들 사이에
투표함
누가 국가를 통치해야 할 것인지에 대해서도 의견 일치가 이루어져.
이런 경우 양쪽 다 절제가 있다고 할 수 있지.
인정합니다. 최선을 다해 보필하겠습니다!
고마워. 나도 최선을 다하겠어.
절제가 화성과 비슷하다고 한 것을 이렇게 설명할 수 있어.
오로지 국가의 평화를 위해!
용기나 지혜는 국가의 어느 한 집단에만 있어도 되지만,
왜 그런지 가슴이 벅차요!
절제는 국민 전체, 모든 계급이 함께 지녀야 하기 때문이래.
맞아요. 서로의 욕심을 조금만 줄여도, 아니 절제해도 우리나라는 정말 멋진 나라가 될 것 같아요!
기특한 것.
말하자면 목소리 높이가 다른 사람들이 화음을 이루고,
아 아 아
한마음으로 합창하는 것처럼 말이야.
아 아 아
절제는 국민 모두에게 필요하지만 특히 일반시민, 즉 생산 계급에게는 필수라는군.
내 가게 앞에서 장사하지 말라고! 손님 다 막고 있잖아!
요기 모퉁이에서 하면 안 될까요?
이 생산 계급은 몸으로 따지면 배와 팔다리에 해당된단다.
절제…절제
저기… 뭐, 생선만 안 팔면 돼.
그럼 세 계급이 저마다 지혜, 용기, 절제만 발휘하면
지혜
용기
절제
올바른 국가가 되는 것일까?
그… 그럼 되는 거 아닌가요?

아니! 마지막 단계가 또 남아 있어.
아, 그래요. 그게 뭐죠?
세 계급의 국민 각자가 자기의 천성에 가장 잘 어울리는 일들을 맡아서 오로지 그 일에만 충실해야 해.
그래야 올바른 나라가 될 수 있고 뿐만 아니라 쓸데없이 남의 일에 간섭하지도 않겠지.
아직 더 남았나? 또 물어보면 어쩌지?
물론 생산 계급에 속하는 사람들끼리는 서로 일을 바꾼다거나
오늘은 A조가 부품 끼우는 작업을 하고 B조가 포장 작업을 한다!
그냥 하던 대로 작업하는 게 더 빠를 텐데요?
한 사람이 여러 일을 해도 국가 전체에 큰 지장이 없어.
그렇지 않아. 만일의 경우 A조가 작업을 못할 경우 B조가 그 일을 알고 있지 못하면 이 작업 자체가 불가능하지.
하지만 가끔 일을 바꿔 하면 대량 생산은 안 되겠지만 작업이 정지되는 일은 발생하지 않겠지?
아… 그렇군요.
문제는 다음과 같은 경우에 일어나지.
이런 거 시시해서 못하겠어! 나도 수호자가 되고 싶다고!
와르르~
목공일이나 장사를 해야 맞는 사람들이 전사 계급으로 간다거나
수호자가 되고 싶다고!
아니면 전사 계급이 통치 계급으로 가려고 할 때야.
나의 비상한 머리를 갖고 수호자 따위에 만족한다는 건 말이 안 돼! 난 통치자가 되고 싶다고!
뽀작
말하자면 아래 계급이 위 계급을 넘보는 것은 절대 금지인 거지.
국가
절대 용납할 수 없어!
이런 행동들은 자기 자신뿐만 아니라 나라까지 망하게 할 수 있대.
정해진 법을 어기는 자는 나라를 망하게 하는 자와 동일하게 여길 것이다!
소크라테스는 지금까지 살펴본 국가의 구조를 인간에게도 적용하기 시작해.
인간의 영혼은 크게 두 부분으로 구성되지.

바로 이성과 욕구!
네 아버지가 죽으면서 원수를 꼭 갚아달라고 했단다.
이와 구별되는 제3의 '격정'이라는 것도 있다고 했어.
바로 이런 감정을 격정이라고 볼 수 있겠지!
그래서 우리 인간은 배우고(이성), 발끈하고(격정),
그렇게 하고 있으면 화가 좀 가라앉나요?
그럭저럭 참을 만해.
쾌락 따위를 갈망(욕구)한다는 거야. 자, 소크라테스가 말하는 격정이란 것이 뭐냐면 말이야.
그렇지만 내 마음은 저 원수를 당장에라도 없애 버리고 싶다고! 그러면 이 가슴속에 있는 한도 풀어질 텐데.
흑-
무언가 화가 날 때, 보통 '욱' 하는 성미가 있다고 하잖아?
저기… 우리 계속 진행해야 하는데?
톡 톡
아니면 발끈하는 감정, 분노 등의 격한 감정, 또는 기개라고도 볼 수 있지.
이봐, 그만들 해. 진행을 할 수가 없잖아.
뚝…
격정은 보통 욕구와 한편인 것처럼 생각되곤 하는데
너무하시는 거 아니에요? 이 상황에 뭘 진행하자는 거예요!
이크.
따지고 보면 이성과 한편이 되어 욕구를 혼내기도 하거든.
썩 좋은 예가 아니구먼!
마치 삼각관계, 아니 삼각 김밥처럼, 격정은 이성과 욕구 사이를 오가면서
격정
삼각 김밥
이성
욕구
사람의 영혼 내에서 아슬아슬 줄타기를 하고 있지.
조금 극단적인 예이긴 하지만 우린 늘 이런 갈등 속에서 살고 있는 거지.
빨리 이성을 찾아서 평화로워지면 좋겠어요.
착하구나.

글라우콘 역시, 격정이 이성도 아니고
욕구도 아닌 별개의 것이라는 데
동의하고 있어.
왜냐하면 격정은 아이들에게서도
찾아볼 수 있는데
조금만 더, 조금만 더! 옳지! 마리아. 조금만 더 힘내요!
아악!!
아이들이 태어날 때는
격정으로 가득 차 있지만
응애
시간이 흘러 성장한 후에는
이성을 지니게 되기 때문이라는군.
아빠, 엄마.
그러고 보니 너희들이 태어나면서
'응애응애' 운 것도
이 격정 때문이었던 거야!
어린 아기에게 '격정'이라는 단어는 안 어울려요.
자! 이제 중요한 결론에 도달했어.
쉿! 이제부터 좀 진지해지자.
네… 넷!
국가와 개인은 그 구조가 똑같아.
음… 지혜와 절제, 그리고 용기를 말하는 거예요!
지혜
절제
용기
이렇게 되면 국가가 올바르게
되는 것과 똑같은 방식으로
국가
개인도 올바르게 되겠지.
그러면 질문 한 가지 할게.
나 참! 질문은 정말 사절하고 싶다니까요.
올바른 국가란 세 집단이 저마다
'제 일'을 제대로 할 때
가능하다고 했던 것을
기억하는지?
글쎄요…. 잘 모르겠어요.
좋아, 그럼 너희들의 기억력 증진을
위해 쉬운 문제로 하나 내주지.
올바른 사람은 어떤 사람일까?
으…음. 올바른 사람이오?

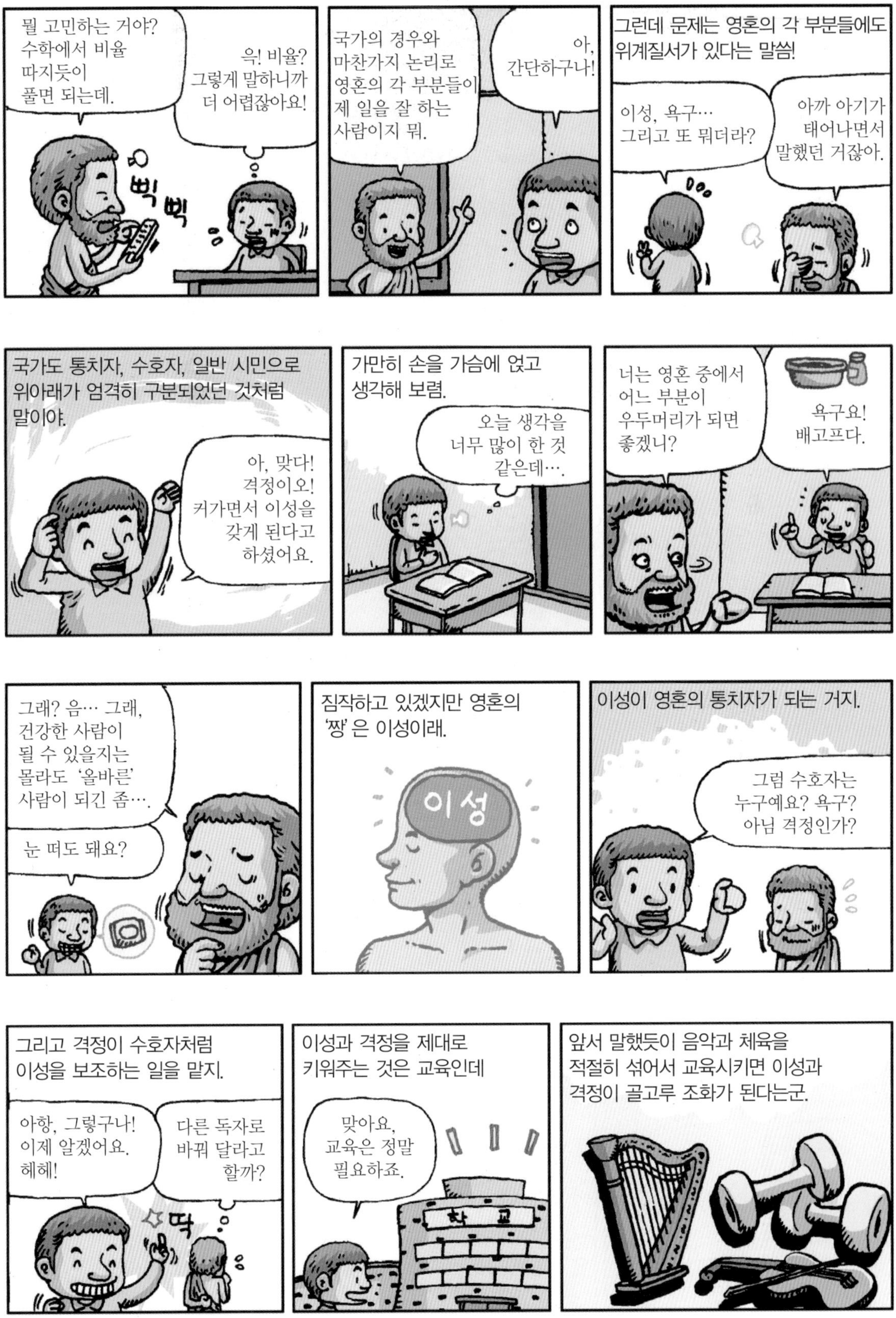
뭘 고민하는 거야? 수학에서 비율 따지듯이 풀면 되는데.
윽! 비율? 그렇게 말하니까 더 어렵잖아요!
삑 삑
국가의 경우와 마찬가지 논리로 영혼의 각 부분들이 제 일을 잘 하는 사람이지 뭐.
아, 간단하구나!
그런데 문제는 영혼의 각 부분들에도 위계질서가 있다는 말씀!
이성, 욕구… 그리고 또 뭐더라?
아까 아기가 태어나면서 말했던 거잖아.
국가도 통치자, 수호자, 일반 시민으로 위아래가 엄격히 구분되었던 것처럼 말이야.
아, 맞다! 격정이오! 커가면서 이성을 갖게 된다고 하셨어요.
가만히 손을 가슴에 얹고 생각해 보렴.
오늘 생각을 너무 많이 한 것 같은데….
너는 영혼 중에서 어느 부분이 우두머리가 되면 좋겠니?
욕구요! 배고프다.
그래? 음… 그래, 건강한 사람이 될 수 있을지는 몰라도 '올바른' 사람이 되긴 좀….
눈 떠도 돼요?
짐작하고 있겠지만 영혼의 '짱'은 이성이래.
이성
이성이 영혼의 통치자가 되는 거지.
그럼 수호자는 누구예요? 욕구? 아님 격정인가?
그리고 격정이 수호자처럼 이성을 보조하는 일을 맡지.
아항, 그렇구나! 이제 알겠어요. 헤헤!
다른 독자로 바꿔 달라고 할까?
딱
이성과 격정을 제대로 키워주는 것은 교육인데
맞아요, 교육은 정말 필요하죠.
학 교
앞서 말했듯이 음악과 체육을 적절히 섞어서 교육시키면 이성과 격정이 골고루 조화가 된다는군.

이 두 부분이 제대로
제 할 일을 배우고 교육받고 난 후
욕구를 잘
다스리는 거지.
욕구
마치 통치자와 수호자가
일반 시민을 이끌어 나가는
것처럼 말이야.
시민
계급
욕구는 영혼의 대부분을
이루고 있어.
통치자보다는
수호자가 많고
수호자보다는
시민들이
더 많은 것처럼
말이야.
사실 너희들도 매순간 욕구를 느끼고
끊임없이 그 욕구를 충족하는
일들을 하지. 배고프니 밥을
먹고, 졸리니 잠을 자고….
진짜
배고프다.
꼬르륵
특히 커갈수록 욕구의 종류도
여러 가지로 늘어나.
그래서 재물이나 육체적인 쾌락 등에
대한 욕구가 뇌 전체를 지배하다시피
하지.
욕구
욕구
욕구
게다가 욕구는 강하기까지 해.
욕구
욕구
욕구
욕구
욕구
비
틀
쉽게 수그러들지 않아.
욕구
참자.
그래서 소크라테스도
이렇게 말했어.
이성과 격정이
힘을 합해서
이 말썽꾸러기인
욕구 부분을
잘 감시해야 해.
여기서 소크라테스는 명예나
자아 존중감 등에 대한 다소 고상한
욕구들은 빼고 말하는 거지.
와! 욕구는
정말 많네요.
욕구
욕구
욕구
욕구
여기서 또 하나의 예술적 비유가
나온단다.
두 필의 말과
마부가
등장하지.

히 히힝~
이성은 마부, 격정과 욕구는 각각 말이야.
자, 오늘은 귀한 숙녀분들이 탔으니까 조금 천천히 가자꾸나.
격정이라는 말은 혈통이 좋고, 욕구라는 말은 혈통이 나쁜 탓인지 거칠고 둔해.
이제 이성이라는 마부의 지시대로 말들이 달리기 시작하지.
부탁한다, 얘들아! 이랴!
두둑두두
격정이라는 말은 마부(이성)의 명령에 따라 앞만 보고 달리지만
다그닥 다그닥
저 녀석이 오늘은 잘 좀 달려줘야 하는데.
욕구라는 말은 그야말로 자기 욕망에 따라 한눈을 팔며 달리지.
야! 너 정신 차리지 못해? 어디로 가려는 거야?
격정은 욕구라는 말이 혼자 옆길로 새지 않도록 이끄는 역할을 하는 거지.
내가 못 살아 정말! 저 녀석이랑 짝꿍되기 정말 싫었는데!
이성과 격정과 욕구의 삼각관계, 이제 완전히 파악되겠지?
바보! 우린 운명이야.
자, 이쯤에서 국가와 개인이 완벽하게 포개지는 내용이 또 한 번 등장해.
포개져?
이성에는 영혼 전체를 보는 눈이 있어.
이성은 머리 부분이니까 맞는 말이에요.
그래서 영혼 전체를 위한 이익이 무엇인지 분별하지.
따라서 이성은 지식이고 또한 지혜의 근원이야.
내가 있어야 비로소 너희(지식과 지혜)가 있는 거야.
잘난 척은….
이성
지식
지혜

격정은 이성의 지시를 따르며,
늘 용감한 마음을 지니고 있어.
아까 나왔던 격정이라는 말처럼 말이야.
그리하여 용기의 근원이 되지.
그리고 욕구 역시, 이성이 지배해야 한다는 데 동의하고,
화목과 조화를 꾀하므로 절제의 덕을 갖게 돼.
인간은 누구나 이성적 존재이면서 격정과 욕구를 갖고 태어나지만
어느 부분이 강하냐 하는 것은 사람에 따라 다르대.
인간 영혼의 질적 차이는 이 세 부분의 상호 관계에 의해서 결정된다는 거야.
이 세 부분이 조화를 이룬 사람이 올바른 사람이지.
넌 누구냐?
나? 난 올바른 사람이지. 이성과 격정과 또 욕구마저도 적절히 갖춘 사람.
국가 차원에서도 구두를 만드는 사람은 한눈 팔지 말고 구두를 만들고
구두
딱
딱
목공도 딴 데 기웃거리지 말고 목공 일만 하고
당연하죠! 이 일이 제 천직인 걸요!
다른 사람들도 저마다 자기 할 일을 제대로 하는 것이 올바름이지.
나도 이게 천직이란다! 너는 천직이 뭐니?
전 아직 직업이 없는데요?
네가 지금 해야 할 일은 말이야.
아… 그거야 공부지요. 물론 놀기도 해야 하고.

그럼, 지금까지 살펴본 올바름의 반대 상황은 뭘까?
어…? 알 것 같은데….
입 속에서 맴돌지?
책을 많이 읽고 친구들과 그 책에 대해서 이야기하는 습관을 가져 봐.
이야기를 하라고요?
네 머릿속에 있는 생각들이 바로 말이 되어 나올 테니까, 믿어봐.
정말 생각은 나는데 말이 안 나오니까 답답하네요. 저 지금 당장 책 읽으러 가야겠어요!
자, 다시 앞의 질문에 대한 답을 말해 줄게.
아직 안 끝났단다.
아… 그러네.
바로 세 부분의 혼란으로 인한 내분이야.
이성
격정
욕구
부분들끼리 서로 참견하고 간섭함으로써 질서를 잃고 결국, 나쁜 상태로 떨어지는 거야.
격정
욕구
이성
퍽
바로 이런 나쁜 상태의 국가와 영혼들에는 다섯 가지의 유형이 있어.
헉! 다섯 가지나요?
나중에 보다 자세히 알려 줄게.
이제 6장이 다 끝난 거네요. 휴, 생각해 보니까 그렇게 어려운 것 같진 않아요.
오! 듣던 중 반가운 소리구나!
후~
처음엔 소크라테스가 누군지도 몰랐는데 이젠 제법 많이 알게 됐으니까요.
잘 됐다! 앞으로는 심심하지 않겠구나!
이제는 많이 알겠다고 하니까 너와 좀 더 많은 이야기를 나눌까 하고.
무슨 말씀?
아니, 아직 이야기를 나눌 정도는 아닌 것 같고요. 12장까지 다 배우면 그때 친구해 드릴게요!
씨익~

신화로 본 이성과 욕망

그리스 신화 속 최고의 신인 제우스와 그의 아내 헤라.

플라톤은 이성을 아주 중요하게 여겼습니다. 이성이 영혼을 다스릴 때 올바른 사람이 된다고 했지요. 반면에 욕구, 즉 욕망은 말썽꾸러기로 보고, 이성이 욕망을 이기게 하는 것이 교육의 목표라고 했습니다. 성경에서도 아담이 이브의 유혹을 이성으로 이기지 못하고 선악과를 따먹었기 때문에 인간이 오늘날처럼 힘들게 살게 되었다고 합니다. 비슷한 이야기가 그리스 신화에도 나옵니다. 판도라는 그리스 신화에 등장하는 최초의 인간 여성입니다. 제우스는 인간에게 불을 가져다 준 프로메테우스에게 코카서스 절벽에 묶힌 채 매일 독수리에게 간을 쪼아 먹히는 형벌을 주었지만, 화가 풀리지 않았어요. 그래서 대장장이의 신 헤파이스토스에게 명하여 흙으로 여신을 닮은 처녀를 빚게 한 다음, 여러 신들에게 자신의 가장 고

시민
계급

귀한 것을 선물하게 했습니다. 이로써 '모든 선물을 받은 여인'이라는 뜻의 판도라가 탄생하게 된 것입니다.

제우스는 판도라에게 상자를 하나 주면서 절대로 열어 보지 말라고 경고한 뒤에 프로메테우스의 동생인 에피메테우스(이름의 뜻이 '나중에 생각하는 사람'이라고 해요.)에게 보냈습니다. 제우스의 속내를 눈치 챈 프로메테우스는 코카서스로 벌을 받으러 떠나기 전, 동생에게 절대로 제우스가 주는 선물을 받지 말라고 신신당부했습니다. 하지만 판도라의 미모에 빠진 어리석은 에피메테우스는 형의 당부를 저버리고 판도라를 아내로 맞이했어요.

에피메테우스와 결혼한 판도라는 어느 날 제우스가 준 상자가 생각났어요. 그녀는 이성적으로는 상자를 열지 말라는 제우스의 경고를 떠올렸지만, 상자 속이 궁금해 욕망을 이기지 못하고 상자를 열었습니다. 그 순간 상자 속에서 슬픔과 질병, 가난과 전쟁 등 온갖 악이 쏟아져 나왔지요. 이에 놀란 판도라가 황급히 뚜껑을 닫았지만 이미 돌이킬 수 없었어요. 다행히 희망만은 상자 안에 남아 있었지요.

호기심이라는 인간적인 욕망을 이기지 못하고 상자를 열어 보는 판도라. (단테 가브리엘 로젠터 작)

판도라의 상자에 얽힌 신화를 보면 인간의 본성이 이성에는 약하고 욕망에는 강하다는 것을 알 수 있습니다.

제7장
철인이 통치하는 국가
소크라테스는 나쁜 상태의 국가와 영혼들의 이야기를 계속하려다가
마음이 바뀌었어!
엣?
일단 가장 통치가 잘되는 국가가 어떤 국가인가를 생각해 보자는 거야.
통치가 잘되는 국가?
그런 국가는…
'친구들의 것은 공동의 것' 이라는 속담이 최대한 실현되는 국가지!
친구들의 것은 공동의 것?
어때? 너희들도 친구들의 것은 공동의 것이야?
친구들끼리 물건을 공유한다? 나쁘지 않은 이야기인 것 같은데요.
아니, 잠깐! 그렇담 내가 아끼는 게임 CD도 공유를?
당연하지. 그럼 너만 친구 것을 쓰려고 생각했니? 그건 놀부 심보야.
호기심 많은 글라우콘은 궁금한 게 참 많았어.
스승님, 통치가 잘된 국가란 대체 어떤 국가를 말하는 건가요?
…

글라우콘의 많은 질문에도 소크라테스는 쉽게 답변을 해 주지 않았어.
스승님, 알려 주세요. 제발!
음, 말해 줘야 하나, 말아야 하나.
왜냐하면 평범한 사람들이 이해하기엔 어려운 내용들이라고 생각한 거야.
나 같으면 안 조를 것 같아요. 지금껏 들은 얘기도 아직 소화가 안 됐는데….
소크라테스는 보통 사람의 상식을 훌쩍 뛰어넘는 얘기들이라고 생각했지.
웬만해선 이 문제를 건드리고 싶지 않다네.
하지만 글라우콘의 끈질긴 요청에 소크라테스는 큰 결심을 하게 되지.
자네도 참 어지간하구먼.
반짝
후~
반짝
소크라테스는 이 민감한 문제를 험난한 '파도'에 비유하고 있어.
자, 그럼 3단계로 나눠서 설명해 주겠네.
윽! 3단계씩이나?
그럼 첫 번째 파도, 즉 여성 수호자의 역할과 교육에 대해 생각해 보자.
여성 수호자요?
나는 국가를 경영함에 있어 여자만 할 수 있는 일이 있거나, 남자만 할 수 있는 일이 따로 있다고는 생각하지 않아.
오히려 여러 가지 성향이 양쪽 '성'에 비슷하게 흩어져 있어서 모든 일에 남자와 여자 모두가 관여하게 된단다.
性
별로 대단한 말도 아니잖아!
그래, 별로 특별한 말이 아닌 것 같지?
하지만 이 말이 지금으로부터 2500년 전에 나온 말이라고 하면
힉! 2500년 전…?
생각이 좀 달라질걸?
하긴, 옛날엔 주로 남자들만 지도자가 되었던 것 같은데요?
男

그래. 놀랍게도 소크라테스가 꼽은 첫 번째 파도는 여성 수호자의 역할과 교육에 대한 거였어. 결론부터 이야기하면
지도자는 나도 할 수 있다고! 능력만 된다면 말이야.
좀 들어가 주지. 내 말 아직 안 끝났는데!
여자도 남자와 더불어 통치 계급에 종사할 수 있다고 이야기했어.
인내심부터 교육시켜야겠군.
요즘은 당연한 말이지만
당연한 말씀을 참 특별하게 하시네요.
우리 시대는 당연한 말이 아니었거든.
남존여비 분위기가 강했던 당시로는
어디 아녀자가 대로를 활보하는가?
이 길로 안 가면 한참을 돌아가야 하는데….
매우 진보적이고 혁명적인 발상이지.
여성 수호자!
미친 거 아냐?
남자만이 또는 여자만이 할 수 있는 일이 따로 정해져 있지 않다는 거야.
저게 남자야? 여자야?
이른바 남녀평등 사상이라고 볼 수 있는데
난 여전사가 될 거야!
와! 되고도 남겠다.
능력이나 성향 면에서 수호자의 자질을 갖춘 사람이 있으면
남자 여자를 떠나 선발해야 한다는 거지.
맞아요. 제 짝꿍도 여자앤데 꿈이 여군 장교가 되는 거래요. 달리기도 잘하고요, 힘도 무지무지 세요.
선발된 여성 수호자들에 대해서는 남자와 마찬가지로
음악과 체육 교육을 받아야 해.
끄덕
끄덕
남자와 여자 수호자들이 모든 걸 공동으로 수행해야 하는 거지!

자, 그럼, 이제는 두 번째 파도가 기다리고 있겠군.
쏴 아 앙~
결혼과 출산, 자녀 양육에 관한 것인데
겨… 결혼이오?
이 파도를 넘으려면 일단 고정관념을 버려야 해!
고정관념
수호 계급의 여자와 남자들은 모여서 같이 살아.
식사도 같이 하고 태어나는 아이들에 대해서도 교육과 양육을 같이 하는 거지.
갸웃
부부가 되어 둘이서만 살고, 둘이서만 아이를 키우는 게 아니라고!
이 아이가 내가 낳은 아이인가?
그게 뭐예요?
아이들은 전체의 아이들인 거야.
그래! 여기 있는 모든 아이들은 다 내 아이인 거야. 그렇게 생각하자.
누가 자기 자식인지, 누가 자기 부모인지도 알 수 없어.
아 앙~
이 훌륭한 국가에서는 결혼과 출산, 육아 등에 대하여
정말 황당한 얘기야.
그래, 조금 놀랍지?
'공개념'이 적용되거든. 봐, 글라우콘도…
결혼 문제까지 공개념이라니.
파도에 휩쓸린 듯 충격을 받은 모습이야.
괜찮은가, 글라우콘?
네… 넷!
그러니까 소크라테스가 '파도'라고 하는 거지.
벼락이 치는 태풍이라는 말이 더 어울려요.
쿠
릉

여자와 남자가 같이 지내다 보면 말이야.
그녀만 보면 너무 눈이 부셔. 쳐다보기도 힘들어.
너희들도 학교에서 그런 '스캔들'로 행복할 때가 있잖니?
재경이가 너 좋아한대.
나도 알아. 나 좋아하는 애가 어디 한둘이니?
고달픈 학교생활에 즐거움을 주는 소중한 추억이 아니겠어?
옛날엔 나도 잘 나갔는데….
하물며 몸과 마음이 다 성장한 어른들이야 말해 무엇하겠니?
어른이 되면 좋아하는 이성을 봤을 때, 신체 접촉을 원하게 된단다.
어른들만 그러는 거 아닌데….
부끄~
안고 싶고 부비고 싶고 등등….
저것 봐요, 어른들만 하는 게 아니라니깐.
하다못해 강아지들조차도….
독신자 생활을 빨리 청산하고 싶다. 너무 외로워.
그래… 마찬가지 현상이지.
외로워! 외로워!
요즘 애들의 조숙함은 따라갈 수가 없어.
그런데 어른들의 경우는 단순히 서로 껴안는 데서 끝나지 않고
미성년자 관람불가
19
성관계라는 것을 하게 되고, 그 결과 아이가 태어나지.
음… 진땀나네.
지금 내가 진땀을 흘리면서까지 이런 설명을 하는 것은
남녀 어른들의 성관계는 성관계로만 끝날 때도 많지만

임신과 출산이라는 중대한 결과를 초래하거든.
아이들이 얼마나 많이 태어나느냐는 국가적 차원에서의 큰 관심사야.
우수한 유전자를 가진 아이가 많이 태어나는 것이 나라를 위한 길이지.
국가
물론 우리나라에서도 옛날에 사람들이 아이를 너무 많이 낳는 바람에
응애 응애
'가족계획' 이라는 캠페인을 펼쳤지.
가족계획! 가족계획!
'둘만 낳아 잘 기르자.' 라며….
그게 어디 맘대로 되냐고….
더 이상 안 돼!
그런데 출산율이 떨어지는 요즘은 어때?
뭐야? 우리가 낮은 출산율로 1위를 달리고 있잖아!
국가
제발 아이 좀 낳으라고 출산 장려 운동을 펼치고 있잖아?
하나만 더! 하나만 더!
여기서 또요?
그런데 소크라테스는 한 발 더 나아가
많이 낳는 것 외에도 더 중요한 것이 있지.
어떤 아이인가도 중요하다고 봤어.
어떤 아이라뇨? 남자, 여자? 이런 거요?
천만에!
가장 뛰어난 남자와 여자가 어울렸을 때
가장 뛰어난 자식이 나온다고 생각한 거야.
우린 완벽한 커플이야.

그렇게 최상급의 수호자가 태어나게 하려면
국가가 수호자 계급에서 일어나는 남녀의 성관계에도 관여해야 한다는 거야.
그래서 통치자들은 교묘한 수를 써야 한대.
어떤 교묘한 수일까?
생각났어요? 생각났으면 저한테도 가르쳐 주세요. 네? 네?
으, 이 창작의 고통….
소크라테스의 생각을 들어 보자고.
만약 국가의 수호자들을 최상급으로 만들려면
최선의 남자들을 최선의 여자들과 자주 성관계를 갖게 하고 그들의 자식들을 잘 양육해야 해.
A+
A+
반면에 제일 변변치 않은 남자들은 제일 변변치 않은 여자들과 성관계를 가져야 하고.
그들의 자식들은요?
그들의 자식들은 잘 양육할 필요가 없어.
!
이런 일이 최대한 분쟁 없이 이루어지게 하려면
통치자 자신 말고는 아무도 모르게 행해져야만 해. 비밀리에 말이야.
맞는 말씀입니다.
글라우콘이 맞장구를 쳐 주자 신이 난 소크라테스는 계속 말을 이어 나가지.
통치자는 몇 차례의 축제와 제물 바치는 행사를 통해 신랑과 신부들을 만나게 해서 혼인을 시키고, 전쟁과 질병 등을 고려해서 사람들의 수를 가능하면 같도록 유지해야 해.

이 국가가 더 커지지도 작아지지도 않게 말이지.
음….
어때? 오늘날 자유로운 연애를 소중하게 여기는 우리와 같은 사람들에게는….
너무 무서워요.
하지만 최상급의 수호 계급이 나라를 운영할 때
이상적인 생각과 결정으로 이 나라를 지킨다!
가장 올바른 나라가 탄생한다는 생각을 강하게 했던 소크라테스에게는
어떤가, 글라우콘?
멋진 생각이에요!
아주 훌륭한 아이디어였던 거야.
동조해 주니 정말 기쁘군. 그럼 좀 더 구체적으로 얘기해 볼까?
소크라테스는 한 술 더 떴어.
그는 이들 젊은 남녀는 자유롭게 상대를 고를 수 없게 하고
오! 제발 제 맘에 꼭 드는 사람과 만날 수 있게 도와주세요.
추첨을 통해 상대를 배정받게 해야 한다고 했어.
추첨은 축제나 행사에서 이루어지지.
이 추첨에서 끼리끼리 어울리는 결과가 나올 수 있도록
통치자들이 조작을 해야 한다는 거야. 아무도 눈치 못 채게.
통치자들은 정말 할 일이 많아, 그렇지?
바쁘다, 바빠!

우수한 아이들을 얻으려는 노력은 이뿐만이 아니야.
노력한 대가지…. 훗!
전쟁이나 다른 분야에서 뛰어난 성과를 거둔 사람에겐 상도 푸짐하게 내리고
특별 보너스로 휴가 받았어!
부럽다.
이성과 어울릴 수 있는 기회를 많이 주어야 한대.
저 자식 이 달만 벌써 세 번째 휴가잖아.
그래야 그런 뛰어난 사람에게서 많은 아이들을 얻을 수 있으니 말이야.
자, 그럼 이렇게 치밀하게 계산하여 얻어낸 아이들은
어떻게 자라나게 될까?
생모, 생부로부터 떨어져서 담당 관리의 손에 넘겨져.
이게 우리가 지켜야 할 법이야.
태어나자마자 벌어지는 일이니, 엄마 아빠 얼굴을 기억 못하는 것은 당연지사.
이제 이 관리는, 아이들을 데리고 특정한 보호 구역으로 간단다.
자, 네가 자랄 곳이다.
변변치 못한 사람들로부터 태어난 아이들은 따로 데리고 가는 곳이 있지.
잘난 아기들과 잘나지 못한 아기들로 또 분리한다고요?
그래.
이런 모든 일은 다 이유가 있대.
수호자의 순수 혈통을 유지하기 위한 눈물겨운 노력이라는 거야.
내가 보기엔 다 똑같이 귀엽고
예쁘기만 한데….

보호 구역에서는 이제 신생아들이 응애응애 울고 있겠지?
엄마가 없으니 젖은 어떻게 먹이죠? 그 시절엔 분유가 있는 것도 아니고….
당연히 관리들은 산모들을 데리고 와.
내 아기에게 젖을 먹일 수 있을까? 얼굴을 보면 알 수 있을 거야.
하지만 자기 자식을 알아보지 못하도록 대책을 마련한 다음 젖을 먹이게 해.
그나마 다행이네요. 젖은 먹게 해 준다니 말예요.
이제 어른과 아이들의 관계가 모호해져.
뻘~쭘
서로를 어떻게 불러야 좋을지 애매하다는 문제가 생겨.
'어른' 이라고 불러야 하나?
어른! 그게 뭐야?
풉
그러니 태어난 시기를 계산하여
저 아이 내가 낳은 아이와 나이가 비슷하겠네.
실제 자기 아이와 비슷한 시기에 태어난 모든 아이들은 자식이라고 부르는 거야. 아이들은 그를 부모로 부르고.
내 아이들.
부모님들!
이렇게 하면 손자 세대와 조부모 세대의 관계도 만들어질 수 있겠지.
엄마 아빠도 엄청 많고 자식들도 많고….
그래, 아주 넓은 의미의 가족이 되는 거야.
그리고 이 나라에서는 어른이라고 해서 함부로 아이를 낳아서는 안 돼.
40
남자는 스물다섯 살에서 쉰다섯 살까지만 자식을 낳아야 한대.
가장 몸 상태가 좋을 때니까 이건 현명한 방법이지?

자식을 낳는 것은 곧 국가를 위한 일종의 봉사 활동인 셈이지.
아자! 아자! 파이팅!
이상이, 소크라테스가 말하는 두 번째 파도란다.
파도의 높이가 제법 되지?
윽!
쏴아아
현기증이 날 정도로 아찔했다고?
솔직히 세 번째 파도를 듣기가 무서워요.
뭘 무섭기까지. 쯧!
어디까지나 플라톤이 자기 생각을 말한 것일 뿐!
생각과 상상에는 무한한 자유가 있으므로! 안 그래?
하긴… 생각은 마음대로니까.
그럼, 이와 같은 파격적이고 엄청난 방법이 과연
훌륭한 국가를 위한 최선의 방법일까?
물론이지!
불끈
소크라테스도 그 점을 입증하기 위해 다음 이야기를 준비하지.
소크라테스의 논리 전개를 따라가 보자고.
먼저 알아야 할 것은,
국가를 구성하는 데 최대 선과 최대 악이 무엇인지 살펴보는 거야.
지금까지 논의된 것들이 그 선에 일치하는지를 따져 봐야 한다는 거지.
최대 선과 최대 악?
국가에 있어 최대 선과 최대 악은 각각 무엇일까?
물론 사람마다 기준이 다르니 내놓는 답 또한 다르겠지.
그것을 소크라테스는 이렇게 정의하고 있어.
국가가 단결되어 하나가 되는 것이 가장 좋은 것이고, 분열되는 것이 가장 나쁜 것이야.

국가 입장에서 보면
물론 그럴 테지.
국가가 생각하는 대로 나머지 모든 것이 따라주는 것!
말하자면 국가가 하나의 몸과 같아야만 '최대 선'이라는 건데
갑자기 공산 국가가 생각나는 이유는 뭐지?
수호자들도 서로서로를 남이라고 여기지 않고
우리는 가족이야, 가족이라고!
국가 안에서 '내 것', '네 것'을 따지지 않고 즐거움과 고통을 함께 하는 거지.
아프냐, 나도 아프다.
수호자들이 그럴 수 있는 것은 바로 자기 가족이 따로 없어서야.
빈 몸으로 왔다가 빈 몸으로 가는 우리….
슬프게 울어줄 자식 하나 없으니….
그럼으로써 수호자들 간에 분쟁이 없고, 시민들과도 융화가 되는 거지.
국가를 위해 멋지게 살다가 멋지게 죽는 거야! 우리는 선택받은 수호자니까!
그 대신, 수호 계급에게는 국고에서 충분한 지원이 나와.
살아서는 상과 명예를 누리고, 죽어서도 그에 걸맞는 혜택이 주어지지.
그들이 누리는 것은 평범한 시민들로서는 상상할 수 없는 것들이야.
당연히 그래야죠. 희생하는 게 얼마나 많은데.
수호 계급은 올림피아 경기의 우승자보다도 훨씬 아름다운 삶을 사는 거지.
그렇다면 이런 국가가 현실적으로 가능할까?
쩌
적
글라우콘도 의문이 여기에 이르자, 소크라테스에게 주저없이 질문을 던졌어.
가능할까요?
땡-
그리고 가능하다면 어떻게 가능한지를 설명해 달라고 하지.
말씀해 주세요! 이것이 실현될 수 있겠습니까?

그래, 이것이 바로
세 번째 파도지.
사실 실제로 실현될 수 있을지
없을지는 그리 중요하지 않대.
에, 그게 뭐예요?
실현되지 못하면
아무 의미가 없잖아요!
그렇지
않아.
훌륭한 국가의 본보기를
만들었다는 점 자체에
의미를 두면 되는 거야.
훌륭한 국가가
되는 본보기
현실의 국가들이
지금까지
논의된 내용에
가장 가깝게
다가갈 수 있는
계기가 된다면,
또한 그 방법들을 발견해 나간다면
그것만으로도 충분한 거지.
끄덕
끄덕
그러면 이제부터
살펴봐야 할 것은
오늘날(고대)의 국가들이
훌륭하게 다스려지지 못하는
이유들이
대체 뭐냐는 거야.
자네 같은
욕심 많은 사람
때문이야.
무슨
소리!
무엇이 어떻게 바뀌어야,
위에서 말한 훌륭한 국가로
훌륭한 국가가
되는 본보기
탈바꿈할 수 있겠냐는 거야.
훌륭한 국가가
되는 본보기
소크라테스에 따르면 한 가지만
바뀌어도 된다는 거지.
쉽지는 않겠지만 불가능한 것도
아니라는데?
그게 뭔지
궁금하지?
꿀꺽

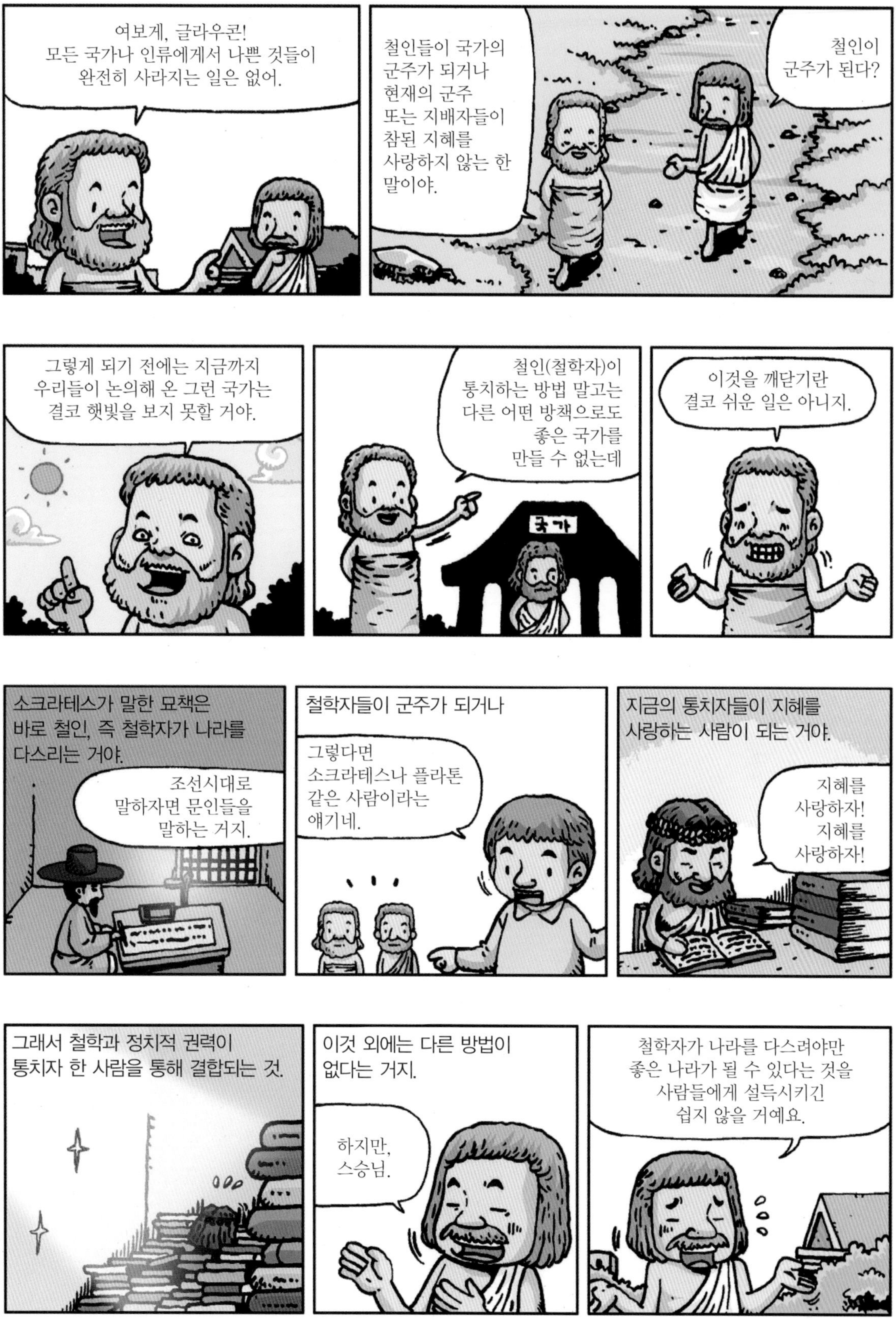
여보게, 글라우콘! 모든 국가나 인류에게서 나쁜 것들이 완전히 사라지는 일은 없어.
철인들이 국가의 군주가 되거나 현재의 군주 또는 지배자들이 참된 지혜를 사랑하지 않는 한 말이야.
철인이 군주가 된다?
그렇게 되기 전에는 지금까지 우리들이 논의해 온 그런 국가는 결코 햇빛을 보지 못할 거야.
철인(철학자)이 통치하는 방법 말고는 다른 어떤 방책으로도 좋은 국가를 만들 수 없는데
국가
이것을 깨닫기란 결코 쉬운 일은 아니지.
소크라테스가 말한 묘책은 바로 철인, 즉 철학자가 나라를 다스리는 거야.
조선시대로 말하자면 문인들을 말하는 거지.
철학자들이 군주가 되거나
그렇다면 소크라테스나 플라톤 같은 사람이라는 얘기네.
지금의 통치자들이 지혜를 사랑하는 사람이 되는 거야.
지혜를 사랑하자! 지혜를 사랑하자!
그래서 철학과 정치적 권력이 통치자 한 사람을 통해 결합되는 것.
이것 외에는 다른 방법이 없다는 거지.
하지만, 스승님.
철학자가 나라를 다스려야만 좋은 나라가 될 수 있다는 것을 사람들에게 설득시키긴 쉽지 않을 거예요.

그래도 스승님,
전 끝까지 스승님을 지지합니다.
뭐든 도와드릴 거예요.
소크라테스는 우선 철학자들이 어떤 사람들인지를 사람들에게 알려 주어야 한다고 해.
철학자? 대체 철학자가 뭔데?
철학자란 한마디로 지혜를 사랑하는 사람이야.
지혜를 사랑하는 사람이라고? 나도 지혜를 사랑하는데?
지혜
모든 배움을 좋아하고 지식을 탐구하며 기꺼이 배우려는 자,
나도 배우는 거 좋아한다니까. 그럼 내가 철학자라는 거야?
배움을 끝없이 추구하며 학문과 지혜를 사랑하는 사람이야.
지혜를 사랑하는 사람은 아주 많은 것 같은데요.
구경을 좋아하는 사람, 듣기를 좋아하는 사람, 기술 배우기를 좋아하는 사람… 등등.
이런 사람들도 전부 지혜를 사랑하는 사람이 아닌가요?
맞아, 그런 것 같아.
그러나 소크라테스의 까다로운 기준에 따르면
그런 사람들은 지혜를 사랑하는 사람들을 '닮은' 사람들일 뿐이야.
WANTED
지혜를 사랑하는 사람들은 바로, 진리를 좋아하는 사람들이라는 거야.
지혜와 진리…? 머리 아파.
지혜와 진리라… 이제 슬슬 부담스러워지기 시작했지?
스트레스 받기 시작하고 있어요. 으….
스트레스
알아! 이제부터는 약간 차원 높은 이야기가 전개된단다.
차원 높은 이야기라고? 차원이 낮은 이야기도 이해하려면 쉽지 않은데….
그 유명한 플라톤의 철학을 맛보는 건데
약간의 스트레스는 자극이 될 수 있어.
쿠
웅

교육열 높기로 유명한 대한민국에서 초등학교를
몇 년째 다니고 있는 사람이라면 쉽게 이해할 수 있는
수준이니까.
…
이 정도야 쉽지.
벌떡
구경을 좋아하는 사람이나
듣기를 좋아하는 사람들은
아름다운 빛깔과 모양을 좋아하고
아름다워….
아름다운 소리를 즐기는
사람들이지.
천상의 목소리야. 어쩜 저런 목소리를 낼 수 있지?
그러나 이들은 '아름다움 자체'를
즐기는 것은 아니래.
바라볼 뿐이지.
개개의 아름다운 것들에 그치지 않고
'아름다움 자체'를 즐기는 사람이야말로
진리를 사랑하는 사람,
바로 철학자라는 거야.
앗!
여기서 말하는 '아름다움 자체'가
바로 아름다움의 본질
즉 아름다움의 이데아란다.
맞아요.
2002년 월드컵 때도
우리나라 선수들은
정말 아름다웠어요.
플라톤 하면 이데아(Idea)론,
이데아론 하면 플라톤이야.
플라톤의 이데아론
플라톤이 주장한 대표적인 이론이자,
이 책의 핵심이지.

이데아라는 것은, 눈(감각기관)으로 볼 수 있는 게 아니고
이데아가 어떻게 생겼다고요?
두리번 두리번
오로지 지성으로만 볼 수 있는 것!
윽!
지성
퍽
치즈 김밥, 누드 김밥, 삼각 김밥 등 여러 가지 김밥들이 존재하지만
와! 난 치즈 김밥 좋아하는데!
김밥이라는 말을 떠올렸을 때 갖게 되는
김밥은 소풍갈 때 먹으면 진짜 맛있어!
김밥에 대한 하나의 인식이 있다는 거야.
또 김밥은 사이다와 같이 먹으면 소화도 잘 된답니다.
즉, 누군가 '김밥 자체'를 인식했다면
저 김밥을 인식한 거 맞죠?
쩝
그는 김밥의 이데아를 지성으로 본 거야.
조금 알 것도 같아요. 후훗!
만약, 삼각 김밥을 보고 '맛있겠다.'며 침만 흘린다면
삼각 김밥
이는 하나의 '의견'을 갖는 것에 불과할 뿐
맛있겠다. 사 먹을까?
'김밥 자체'의 '인식'에는 도달하지 못하는 거지.
여기에 바로 '의견'에 그치는 사람과 '인식'에 도달하는 사람의 차이가 있고
냠냠

'인식'에 도달하는 사람은 존재의 참모습을 파악하는 사람이므로
역시 김밥은 맛있어.
쩝 쩝
지혜를 사랑하는 사람,
툭
지혜
곧 철학자가 되는 것이지.
하지만 '의견'에 그치는 사람은
맛있겠다.
의견만을 너무 사랑하는 나머지 지혜에 이르지 못하고
툭
지혜
그야말로 지혜를 사랑하는 사람을 '닮은' 사람이 되는 것이지.
빙글
빙글
지혜를 닮은 사람만 되어도 성공한 것 같아요.
오~ 좀 더 깊게 생각하면 어떨까?
노력해서 지혜로운 사람이 되면 좋을 텐데? 내가 도와줄 수 있단다.
헤헤… 지금도 충분하거든요.
슬금 슬금
다… 담에 봬요!
재는 왜 이야기가 끝나기만 하면 도망을 치는 거야?
후다닥
소크라테스처럼 '지혜'를 사랑하는 사람이 되기란 정말 쉽지 않겠지?

차별 받는 그리스 여인들

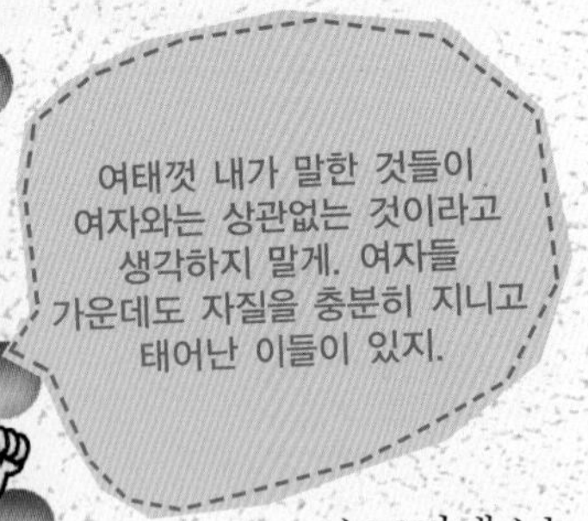
여태껏 내가 말한 것들이
여자와는 상관없는 것이라고
생각하지 말게. 여자들
가운데도 자질을 충분히 지니고
태어난 이들이 있지.

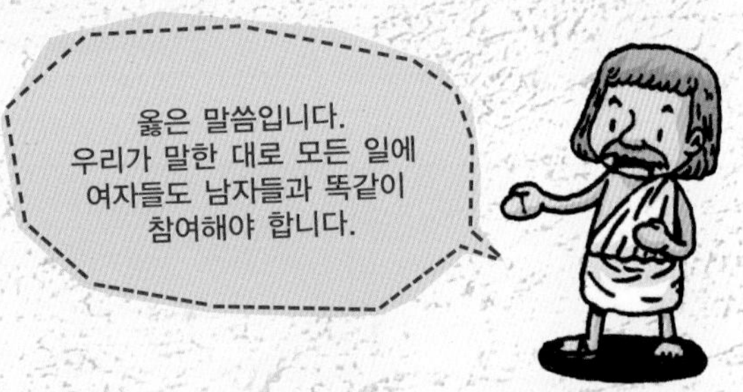
옳은 말씀입니다.
우리가 말한 대로 모든 일에
여자들도 남자들과 똑같이
참여해야 합니다.

소크라테스는 자질을 충분히 지닌 사람이라면 남자와 여자에 구분없이 통치자가 될 수 있다고 말했습니다. 하지만 소크라테스의 여성에 대한 생각은 당시의 시대적 상황을 고려해 볼 때 매우 특별한 것이었어요. 왜냐하면 소크라테스가 살았던 고대 그리스 시대의 여성의 위치는 지금과는 아주 다른 것이었거든요. 그리스 시대의 여성들이 어떻게 살았는지는 괴테가 1787년에 발표한 〈이피게니에〉라는 희곡을 보면 잘 알 수 있어요.

"여자의 행복은 얼마나 한정되어 있는가! 완고한 남편을 따르는 것이 의무이자 위안이니, 먼 곳에서 적대적인 운명에 떨어지면 그 얼마나 가련해지는가!"

이 글을 보면 그리스 시대의 여성은 남성에 비해 상대적으로 제약을 많이 받고 살았다는 것을 알 수 있습니다. 옛날 우리 어머니들이 살았던 것처럼 말이지요. 그리스 여성들은 남편을 섬기고 아이를 양육하는 생활에 매여 있었습니다. 남자들처럼 멋진 예술적 생활을 하거나 당당한 정치적 활동을 할 수 없었어요. 민주 정치를 했다고 하던 아테네에서도 여성들에게는 노예들처럼 참정권을 주지 않았어요. 게다가 재산을 소유할 권리조차 없었어요. 일생 동안 아버지나

남편, 아들 등 남성들의 그늘에 살았으며, 결혼도 남자들의 계약 관계에 의해 이루어지는 경우가 많았다고 합니다. 그래서 결혼하기 전에는 아버지의 보호를 받고, 아버지의 말에 복종했으며, 결혼을 한 후에는 남편의 보호를 받고 남편의 말에 복종해야 했답니다. 여성들의 바깥 출입도 엄격하게 제한되었어요. 특히 남편 외에 다른 남자를 만나는 일은 매우 위험스러운 일로 여겼어요. 어떤 남편들은 아내를 감시하기 위해 집 앞에 사나운 사냥개를 묶어 두었을 정도였으니까요.

특히 혼기가 찬 그리스의 여성들은 대규모 축제 행렬이나 장례식 등의 특별한 경우를 제외하고는 집 밖에 나올 수 없었습니다. 교육의 혜택은 주로 남성에게 주어졌고, 여성에게는 물레질과 바느질 등만 가르쳤어요. 그러므로 그리스 여성에게 '자유의지'라는 것이 없었습니다. 태어나서 죽을 때까지 오직 남성에 의해 지배당하는 삶을 살 수밖에 없었으니까요. 이러한 시대적 상황에서 여성도 통치자가 될 수 있다고 주장한 소크라테스의 생각은 시대를 뛰어넘는 매우 앞선 가치관이었습니다.

이피게니에의 희생

그리스 연합군의 총사령관인 아가메논은 트로이를 치기 위해 군사와 함대를 출범할 날을 기다린다. 하지만 군사들 사이에 돌림병이 돌고, 비바람이 몰아친다. 아르테미스 여신은 아가멤논에게 그의 딸 이피게니에를 희생 제물로 바치라고 한다. 고심 끝에 아가멤논은 나라를 위해 딸 이피게니에를 희생시키기로 결심한다.

제 8 장
통치자의 자질과
좋음의 이데아
이데아
자, 여기까지는 지혜를 사랑하는 사람들과 그렇지 않은 사람들을 알아봤어.
자, 어느 쪽이 국가의 지도자가 되어야 할까?
지혜
지혜
우선 지도자가 해야 할 일을 알아 봐야겠지?
지도자, 수호자는 국가의 법률과 풍속을 지키는 사람이야.
법률
풍속
무언가를 지키고 감시하는 역할이라면 눈이 좋아야겠지?
여기서 말하는 건 시력이 아니라 시각이 날카롭다는 뜻이지.
사람들이 겉으로 드러난 현상만을 볼 때 해결 방법을 찾아야 해.
많이 안 다쳤나보군.
피가 흐르는 다리를 보며 약상자를 갖고 온다.
그런 능력은 경험이 풍부한 사람들이 갖고 있기 쉬우니 그런 사람들을 수호자로 임명하는 게 바람직하지.
맞아요. 저도 그렇게 생각합니다.
철학자의 자질을 살펴서 그들이 과연 그런 사람들에 해당된다면
그들이 바로 국가의 지도자감인 거지.

그럼 철학자들은 어떤 자질을 갖추어야 하는 겁니까?
맨 먼저 그들은 현상을 뛰어넘어 존재의 본질, 참모습을 탐구하는 걸 즐겨야 해.
그리고 거짓을 싫어하고 진리를 좋아하며
절제의 미덕을 갖추고, 재물을 멀리 해야 하지.
저속하지도 않고 허풍을 치지도 않고 비겁하지도 않아.
게다가 기억력도 좋아야 하고.
돌아서면 까먹어.
무엇이든 배우기를 즐기고, 고매하고, 정중하기까지 해.
한마디로 진리와 올바름, 용기, 절제 등을 다 갖춘 사람이어야 하는 거야.
…
그런 사람이 과연 존재할 수 있을까?
오래도록 침묵을 지켜온 아데이만토스가 드디어 입을 열었어.
하지만 소크라테스님, 현실은 그렇지 않습니다.
철학자를 국가의 지도자로 해야 한다는 소크라테스님의 말씀과는 달리, 현실은 철학자들을 쓸모없는 사람이라고 여기고 있습니다.
맞아! 맞아!
철학전공
자네의 지적이 맞기는 하지. 하지만 그것은 철학자들의 잘못이 아니야.
그… 그렇죠? 그런 거죠?
그들(철학자)을 제대로 활용하지 못하는 사회의 잘못인 거지.
글쎄, 그렇다니까요!
여기서 또 하나의 예술적인 비유가 등장해.
자, 철학을 배의 조종술로 비유해 보자.
바다에 한 척의 배가 떠 있다고 상상을 해 봐.
자지 말고.
거기에는 선장도 있고 선원들도 있겠지?
자, 남동쪽으로 키를 돌려라.
예! 선장님.

이 배를 앞으로 나아가게 하려면
배를 조종해야 해.
그런데 배 조종술은
하나의 전문적인 기술임에
분명하지?
바로 나.
그렇죠!
그런데 선원들은 아무나 배를
조종할 수 있다고 생각해.
키는 내가
잡겠어!
무슨 소리야?
넌 갑판 청소나 해.
조종하는 건
나한테 맡기라고!
이렇게 서로 키를 잡으려고
싸우고 결국 난장판이 되지.
우. 당. 탕
퍽 퍽
결국 이 싸움에 이겨 키를
잡은 사람은, 조종술을
익힌 사람이 아니고
이제부터
키는 내가
잡는다.
힘이 세거나 남들의 환심을
사는 데 성공한 사람이야.
오! 조종술을
배운 적도
없는 분이
너무
잘 하시네요.
오히려 조종술을 지닌 사람은
쓸모없는 사람으로 여겨지는 거야.
그러면 배는?
앞으로 잘 나아갈 수 있을까?
쿵
으악! 암초에
걸렸다! 살려줘!
자, 여기서 철학자는
누구를 말하는 걸까?
에?
키… 키를
잡은 사람?
무슨 소리? 배 조종술을 지니고도
키를 못 잡은 사람이지.
아! 맞다, 맞아!
왕따 당하고
있는 사람.
그럼 배는?
배는 국가를
말하고 있지.
배?
먹는 배요?
국 가
하하… 저도
알고 있었어요.
괜히 장난쳐
본 건데.
그럼 조종술도
없으면서
키를 잡은
사람은?
무식한
사람이오!
뭐…
틀린 건
아니지만.

배 조종술을 지니고도 키를
못 잡은 사람이 바로 철학자야.
저렇게 가다간 암초에
부딪치고 말지….
너희들은 철학자 하면
어떤 이미지가 떠오르니?
허름한 옷차림, 심각한 얼굴,
무언가 고뇌하는 듯한 표정?
고정관념을
버려!
아마 속세와 동떨어진 듯한
비현실적인 이미지를 떠올릴 거야.
먹을 것을 탐낼 것 같지도 않고.
고정관념을
버리라니까.
너희들도 네다섯 살 때에는 우주와
세계, 자연에 대해 호기심을 품고
엄마, 하늘에는
수도가 없는데
물이 왜 떨어져?
그 근원이나 의미, 목적 등을
궁금해 하는 철학적인 질문을 해대서
엄마, 구름들이
달리기 하나 봐! 와!
벌써 저만큼 갔네.
다리도 없으면서
어떻게 달려가지?
부모님까지 덩달아 사색에
젖게 했을 거야.
그러게… 보이지 않는
날개가 있나 보다.
그러나 이제는 철학적인
사고보다 실용적인 사고에
더 익숙해져서
부모님을 당황하게 하는
거창한 질문들은 접은 지
오래일걸?
공부중
이제라도 부모님께 "사람은 죽으면
어떻게 되나요?"라고 물어봐 봐.
엄마!
왜?
부모님은 십중팔구,
당황해 하며 난감해 하실걸?
사람은
죽으면 어떻게
되는 거죠?
아마도 "나중에 크면 다 알게 돼."
라고 하거나 화를 내겠지.
쓸데없는
소리 말고
공부나 열심히 해.
공부하기
싫으니까
딴청은?
그렇더라도 너무 실망하지 마.
그래… 사실 우리도 철학 교육을
제대로 받은 적이 없단다.
그런 질문은 익숙하지 않아.

우리나라는 학교에서 철학을
가르치지 않지만
물론 철학자의
이름은 가르치지.
소크라테스
아리스토텔레스
플라톤
반면에 프랑스 등 유럽 선진국에선
초등학교 때부터 철학 교육을
시킨단다.
와! 초등학교
때부터요?
그래, 그러니까 학교에서
철학 교육을 받지 않더라도
아… 어디서나 드러나는
우리나라의 교육 문제.
철학적 사고, 즉 '왜 그럴까?' 라며
의심을 품는 자세는 잃지 말도록 해!
일상의 궁금증에 대해 이치를 파고들면서 비판적이고 독창적으로
생각하는 자세를 키워야 해.
왜지? 왜 그런 일이 일어나야만 하지?
그 원인은 대체 무엇인 거야? 우리는 앞으로
어떻게 행동해야 하는 거지? 등등….
그러면 사고력이 늘고
공부도 잘하게 되고
논술도 잘하게 된단다.
음…
생각을 많이
하라는
얘기지.
그 다음은 내가
말 안 해도 알겠지?
대학교 ○○ 입학식
소크라테스도 제자에게 질문을 던지고
제자 스스로 진리를 찾을 때까지
올바른 사람은 어떤
사람을 말하는 걸까?
해답을 주지 않는 '대화법' 이란
교육 방법을 썼어.
이런 철학적 훈련을 거치면
시야가 넓어지고 문제 해결
능력이 생기지.
주입식 교육의
우리 환경과는 아주 다르지.
다시 이야기를 되돌려서…
왜 조종술을
지닌 사람이
제대로 대접을
못 받을까?
왜 조종술은
하찮은 것으로
여겨질까?

다시 말해 고대 그리스 사람들은 철학과 철학자들을 왜 무시한 걸까?
철학자들은 일은 안하고 노닥거리기만 하는 게으름뱅이들로 취급받았어.
철학이란 게 밥 먹여 주냐고! 일을 해야지, 일을!
철학적 자질을 지닌 사람들은 이런 현실 때문에 타락하게 되지.
그러다 보니 철학에 대한 오해가 심해진다는 거야.
철학적 자질을 지녔다는 것은 훌륭한 자질을 갖고 있다는 거야. 그런데 나쁜 환경과 나쁜 교육 때문에 타락하게 되는 거야.
이것이 악순환의 고리처럼 철학과 철학자를 부정적으로 보게 만드는 원인이지.
철학적 자질을 지닌 사람들은 이 같은 현실에 좌절한 나머지 철학을 떠나고
나 이제 그만 철학에서 떠나련다.
오히려 자질을 못 갖춘 이들이 철학자 행세를 하게 되지.
뭐든 적당해야 하는 거라고. 철학도 적당히, 비리도 적당히, 헤헤.
훌륭한 자질을 갖추고 철학을 끝까지 사랑하는 사람들,
오로지 철학의 즐거움으로 사는 사람들이 국가를 만들고 지도자가 된다면 좋겠지.
그 국가가 바로 지금까지 이야기해 온 그런 국가인 거지.
그러나 그들을 그대로 데려와서 바로 일을 맡기는 건 곤란하겠지?
물론이죠. 잘 선발해서 제대로 교육시켜야죠.
오, 제법이구나.
말하자면 국가의 통치자를 만들기 위한 교육 방법과 과정이 남아 있는 거지.
배움은 끝이 없습니다. 죽을 때까지 배워야지요.
만약, 기준에 못 미치는 사람이 있다면 제외시켜야지.
너 탈락!
국가

그런데 철학적 자질을 지닌 사람들 중에서
뭐야? 너희들만 남은 거야?
이렇게 엄선된 수호자들은 과연 몇 명이나 될까?
수호자들에게 요구되는 자질을 다 갖추기란 매우 어렵기 때문에 몇 명 되지 않겠지.
말하자면, 통치자가 될 사람은 서로 반대되는 성질들,
이중인격자를 말하는 거야?
설마.
민첩하고 활기차고 당당한 성향과 조용하고 안정되고 얌전한 성향을 모두 갖춰야 한다는 거야.
다중인격자를 말하는 거군요.
만약 그렇지 못하다면 교육의 기회도, 명예도, 관직도 주어서는 안 되는 거지.
국가
이걸로 끝이 아니야.
뭔 시험이 또 남은 거야?
글쎄… 정말 힘들군.
애국심을 심사하는 시험도 거쳐야 하고, 다른 학문들도 공부해야지.
국가를 위해 죽을 수도 있습니까?
물론 입니다!
그래야만 '가장 최고의 학문'도 감당해 낼 수 있는지 없는지를 살펴볼 수 있대.
우리가 무슨 공수부대냐? 헉, 헉….
가장 최고의 학문이라… 이건 또 무엇일까?
최고의 학문이오? 그럼….
올바름보다 더 높은 단계의 배움이 또 있다는 소리?
그렇다면 최고의 학문이란 어떤 것을 말씀하시는 겁니까?
올바름보다 더 높은 단계의 배움이 있나요?
더 높은 것이 있고말고.

내 생각에는 '좋음의 이데아(참모습)'가 가장 소중한 최고의 배움이라 여긴단다. 이 이데아 덕분에 올바른 것과 그 밖의 것들도 유익한 것이 되지.
좋은 것의 참모습? 알 것도 같고 모를 것도 같고….
이것을 네가 이해한다면 넌 천재일 거야. 철학의 천재!
그런데 문제는 우리가 이 이데아를 충분히 알지 못한다는 거야.
다행이다. 모르는 게 정상이구나.
휴-
그러나 만약 우리가 이것을 모른다고 계속 외면하고 있다면, 다른 것들을 아무리 잘 알아도 우리에게는 소용이 없다는 거지.
탁
그렇다면 그 '좋음의 이데아'란 무엇인지 말씀해 주세요!
지금부터 본격적으로 진짜 알맹이가 등장하는 거야.
달걀로 치면 노른자위지.
지금까지 우리는 삶은 달걀의 노른자위를 먹기 위해
야금야금 흰자위를 먹어 온 셈이야. 껍질부터 까면서 말이야.
쩝 쩝
가장 중요한, 최고의 배움은 '좋음'의 이데아야.
노른자위가 그 '좋음'의 이데아라는 거죠?
워낙 중요한 개념이다 보니, 비유도 세 가지씩이나 들고 있어.
음… 세 가지라….
슥 슥
태양의 비유, 선분의 비유, 동굴의 비유가 바로 그것이야.
동굴의 비유는 아주 유명한 이야기인데 다음 장에서 알려 줄게.
엄청 긴가 봐. 다음 장까지 넘어가는 걸 보면.

이데아는 앞에서 말했던 것처럼
존재하는 것들의 참모습,
본모습이야.
존재하는 것들은
눈으로 볼 수 있지만,
음… 사자네.
이데아는 지성을 통해서만
볼 수 있다고 했지?
사자는
사나운 동물이야.
배고플 때 옆에 가면
잡아먹힐 수 있어.
조심해야지.
그럼 '좋음'이란 무엇인가?
책에 따라 '선(善)'으로
표현하기도 하는데
'좋음'이란
좋은 거.
착한 것도 좋고
예의 바른
것도 좋고
웃는 것도 좋고…
좋은 게
아주 많은데.
바로 지식과 진리의
근원이자 최고 이상이야.
좋음
우리가 이 '좋음'을 모른다면
다른 것을 아무리 잘 알아도
아무 소용이 없대.
저기까지
갈 수 있을까?
이 '좋음'의 이데아는 훈련된
철학자만이 파악할 수 있는데
좋음
철학자
소크라테스가 말하는 태양의
비유를 따라가자.
혹시 우리도
가능하지 않겠니?
따라가요!
따라가!
우리는 무엇을 통해 사물을
볼 수 있을까?
바로 눈이잖아.
마음의 창이라는 눈 말이야.
그런데 사물과 눈만 있다고
그 사물이 우리 눈에
들어오는 것은 아니야.
컴컴한 방에서는 사물이 보일까?
아뇨. 빛이
있어야
보여요.
그래, '보는' 감각과 '보이는' 힘은
결국 빛으로 연결되어 있다는 거야.

그럼 이 빛은 어디에서 오는 걸까?
물론 달빛도 있고 별빛도 있지만 햇빛을 따라올 수는 없겠지?
당연하지!
태양은 우리 눈은 아니지만 우리에게 시각을 제공해 주는 고마운 존재야.
오, '좋음의 아들(딸)' 이여.
무슨 말이에요?
태양이 시각을 가능하게 하듯이, 좋음의 이데아는 인식을 가능하게 한다는 말씀!
말하자면 좋음의 이데아는 태양이 하는 역할을 하는 거네요?
그렇지만 좋음의 이데아는 인식과 진리 자체와는 다르며
맞아요. 태양이 곧 시각은 아닌 것처럼.
인식과 진리 자체보다 한결 더 훌륭한 것이야.
그렇겠죠. 좋음의 이데아가 인식을 가능하게 한다고 했으니까.
인내하고 가르친 보람이 생기는군.
인식과 진리는 '좋음'을 닮은 것이지, '좋음' 자체는 아니라는 거야.
이해가 아슬아슬하게 되는 것 같아요.
웬 아슬아슬?
'좋음'은 한층 더 귀중한 것이야.
그렇죠! 햇빛이 없으면 아무것도 살 수 없듯이….
'좋음'은 마치 태양이 생명을 만들어 내듯이 지식을 만들어 내.
말하자면 '좋음'은 인간이 좋고 행복한 삶을 영위하기 위해
좋음
이성이 추구해야 하는 최종 목표라고나 할까?
올바름
지식
지혜
오, 얼굴을 보니 다 이해한 듯 하구나.
저도 제가 이렇게 똑똑한 줄 몰랐어요.
너무 오버하는군.

이제는 선분의 비유라는 것이
등장하는데, 이 내용은 다소 어렵단다.
아니… 얼마나 어려우면 저런 말까지?
최대한 쉽게 설명해 줄 테니
너무 겁먹지 말기를!
하긴… 난 좋음의 이데아를 이해했잖아! 히히히.
보이는 세계와 보이지 않는 세계를
각각 하나의 선분으로
나타내고 있는데
보이는 세계
보이지 않는 세계
음… 보이는 세계와 보이지 않는 세계라….
슥슥
앎의 대상과 앎의 단계에 따라
두 영역으로 나눌 수 있다는
말이야.
부들 부들
앎의 대상? 앎의 단계? 대체 무슨 소리야?
더 자세한 내용은 너희가 좀 더
큰 다음에 읽어 보도록 해.
여기선 결론만 알려줄게.
휴
먼저 눈에 보이는 세상을 하나의
선분으로 나타내 보자고!
이 선분은 의견의 선분이란다.
음… '눈에 보이는 세상' 이 '의견의 선분' 이고.
이 의견의 선분은 다시 두 부분으로
쪼갤 수 있는데
음… 그러니까 눈에 보이는 세상을 다시 두 부분으로 나눈다는 거죠?
참, 인식과 의견의 차이에
대해서는 앞장의 내용을
다시 보렴.
아이 참! 갑자기 인식이란 단어가 왜 나와요? 헷갈리게!
인식
녀석… 까칠하긴.
한쪽은 영상(그림자)의 영역이고
의견의 선분에서 두 부분으로 쪼개고 그 한쪽은 영상(그림자)의 영역이고
슥 슥
다른 쪽은 그 영상들이 닮아 보이는
것, 즉 우리 주위의 동식물이나
사물 등이야.
어때, 알아듣겠니?
…
영상(그림자)에 있는 것들은
상상(짐작)으로 알 수
있는 것이고
다른 쪽, 우리 주위의 동식물이나
사물 등은 신념 내지 믿음으로
아는 것이야.
야, 원숭이다!
그래 나, 원숭이다.

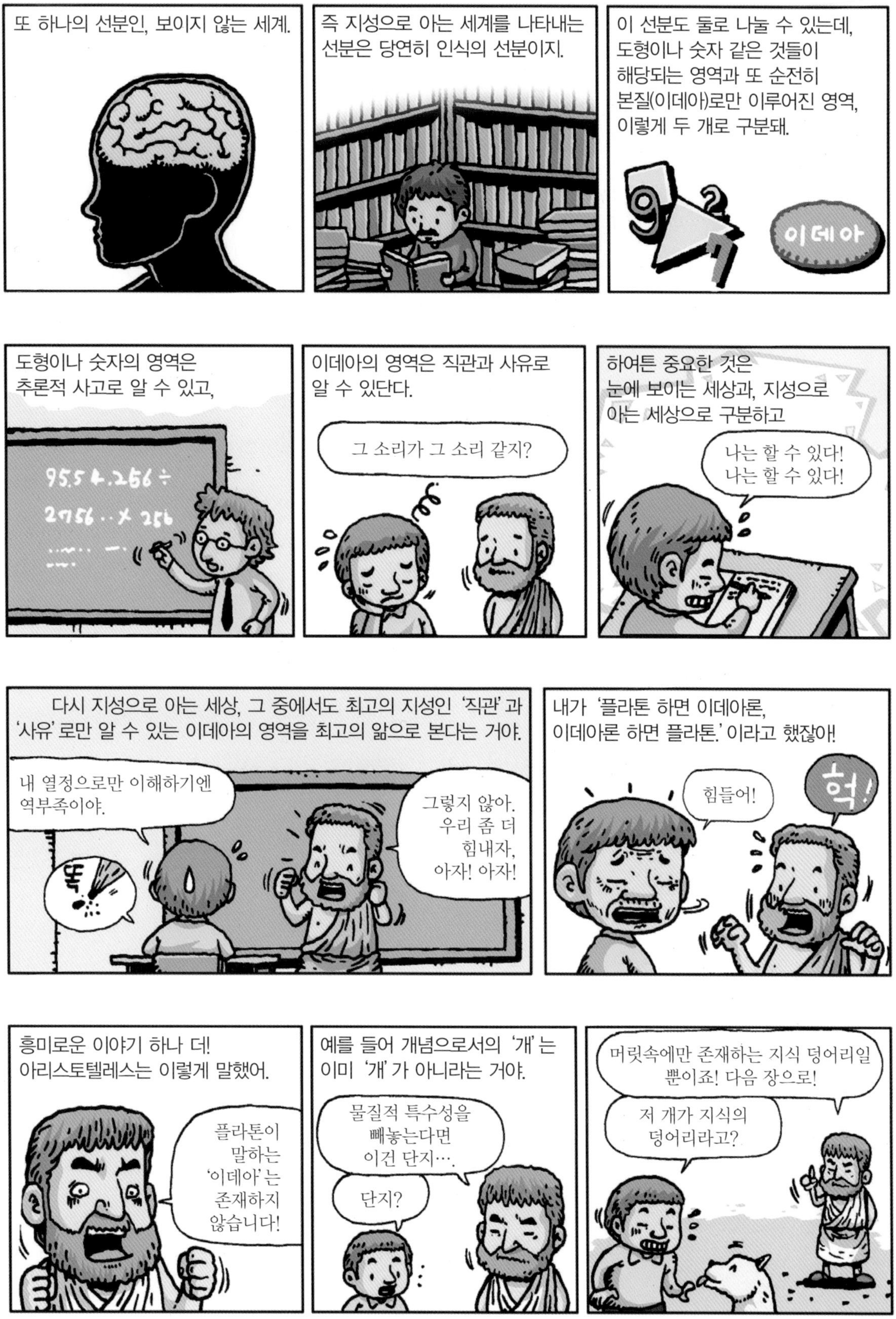
또 하나의 선분인, 보이지 않는 세계.
즉 지성으로 아는 세계를 나타내는 선분은 당연히 인식의 선분이지.
이 선분도 둘로 나눌 수 있는데, 도형이나 숫자 같은 것들이 해당되는 영역과 또 순전히 본질(이데아)로만 이루어진 영역, 이렇게 두 개로 구분돼.
이데아
도형이나 숫자의 영역은 추론적 사고로 알 수 있고,
95.54.256 ÷
2756 ·· × 256
이데아의 영역은 직관과 사유로 알 수 있단다.
그 소리가 그 소리 같지?
하여튼 중요한 것은 눈에 보이는 세상과, 지성으로 아는 세상으로 구분하고
나는 할 수 있다! 나는 할 수 있다!
다시 지성으로 아는 세상, 그 중에서도 최고의 지성인 '직관'과 '사유'로만 알 수 있는 이데아의 영역을 최고의 앎으로 본다는 거야.
내 열정으로만 이해하기엔 역부족이야.
똑
그렇지 않아. 우리 좀 더 힘내자, 아자! 아자!
내가 '플라톤 하면 이데아론, 이데아론 하면 플라톤.'이라고 했잖아!
힘들어!
헉!
흥미로운 이야기 하나 더! 아리스토텔레스는 이렇게 말했어.
플라톤이 말하는 '이데아'는 존재하지 않습니다!
예를 들어 개념으로서의 '개'는 이미 '개'가 아니라는 거야.
물질적 특수성을 빼놓는다면 이건 단지….
단지?
머릿속에만 존재하는 지식 덩어리일 뿐이죠! 다음 장으로!
저 개가 지식의 덩어리라고?

플라톤과 아리스토텔레스

아리스토텔레스는 플라톤의 제자였습니다. 하지만 만만한 제자는 아니었지요. 스승인 플라톤의 사상을 여러 면에서 비판했기 때문이에요. 대표적인 것이 플라톤의 핵심 사상인 '이데아론'에 대한 비판이었습니다.

플라톤은 이 세상을 둘로 보았는데, 그 중 하나는 '감각의 세계'입니다. 감각의 세계에서는 바람처럼 사라져 가는 수많은 사물들로 이루어진 세계이지요. 또 하나는 '이데아의 세계'로, 영원하고 변하지 않는 세계입니다. 감각으로는 알 수 없고, 이성으로만 알 수 있는 세계지요. 플라톤은 인간도 두 가지 존재로 여겼습니다. 변화하는 육체와 불멸하는 영혼을 동시에 가진 존재라는 것이지요. 영혼은 우리의 이성에 자리잡고 있으며, 물질적인 것이 아니기 때문에 이데아의 세계를 볼 수 있습니다. 플라톤은 인간의 삶은 영혼이 이데

그리스 아테네에 있는 아카데미.
플라톤이 청년들의 심신을 수련시키기 위해 설립한
아카데미아에 기원을 두며 철학 발전의 토대가 되었다.

아의 본향으로 가는 과정으로 보았고, 육체를 영혼의 감옥이라고 여겼습니다.

하지만 아리스토텔레스는 스승의 이데아론을 강하게 비판했습니다. 아리스토텔레스는 감각에 의한 경험을 중요하게 여겼어요. 그는 우리 마음속에 생기는 것은 모두 우리가 보고 들음으로써 생기는 것이며, 이성이란 사람이 갖는 중요한 특징일 뿐이지, 근본적인 것은 아니라고 했습니다. 플라톤과 아리스토텔레스가 추구하는 철학의 세계는 달랐어요. 플라톤은 영원한 이데아의 세계를 찾기 위해 노력했고, 아리스토텔레스는 자유로운 자연 속에서 살아 꿈틀거리는 자연을 연구했지요. 덕분에 아리스토텔레스는 고래가 물고기가 아니라는 것을 최초로 알아냈고, 수많은 생물들을 체계적으로 분류하는 일을 했어요. 그의 자연관은 그 후 약 2000년 동안 서양 과학의 기초가 되었습니다.

플라톤과 아리스토텔레스
(라파엘 작)

아리스토텔레스는 플라톤의 제자로서, 인간에게 가까운 자연물을 존중하고 이를 지배하는 원리를 탐구하는 현실주의 철학을 추구했다.

아리스토텔레스와 플라톤은 인간에 대한 생각도 서로 달랐어요. 대표적인 예가 '인간은 어떻게 살아야 하나?'라는 질문에 대한 생각이었습니다. 플라톤은 당연히 이데아를 찾으며 살아가는 것이 인간의 행복한 삶이라고 했지만, 아리스토텔레스는 인간은 자기의 모든 능력을 발휘하고 살 때가 가장 행복하다고 믿었어요. 그는 행복한 삶의 3가지 모습에 대해 이야기했는데, 첫째는 쾌락과 만족을 누리는 삶이고, 둘째는 자유를 누리며 책임지는 시민의 삶이고, 셋째는 연구하는 철학자의 삶이었어요. 아리스토텔레스는 사람이 행복한 삶을 누리기 위해서는 이 세 형상이 모두 같이 있어야 함을 강조했습니다.

제9장 철인 통치자의 탄생

앞글에서 소크라테스는 '태양의 비유'와 '선분의 비유'를 통해서 '좋음의 이데아'에 이르는 길을 설명했어.
계속해서 '동굴의 비유'를 통해 '좋음의 이데아'를 본격적으로 설명하겠습니다.
이 '동굴의 비유'는 아주 유명한 것이니까 이 기회에 잘 알아두면 좋을 거야.
자, 교육을 받은 사람과 그렇지 못한 사람의 성향 차이를 다음 이야기를 통해 알아보자.
지하에 동굴이 하나 있고 그 동굴의 입구에는 불이 있지.
무서운 얘기일까…?
그 안에는 어릴 때부터 손발이 묶여져 살아온 죄수들이 있어.
ㅇㅇㅇ…

그들은 묶여 있기 때문에 머리를 돌릴 수가 없어.
한쪽만 보고 있자니 정말 지겹다. 내 뒤쪽엔 무엇이 있을까?
그들 뒤쪽의 동굴 입구에는 횃불이 있고 이 횃불과 죄수 사이에 담이 하나 세워져 있지.
자넨 무엇이 있을 것 같은가?
글쎄… 그건 알아 뭐하게?
마치 인형극을 공연하는 사람들이 관객들 앞에 야트막한 휘장을 치고, 휘장 위로 인형들을 보여 주듯이.
너희들도 글라우콘처럼 상상력을 발휘해서 머릿속에 그림을 그려 봐.
또 다른 사람들이 이 담과 불빛 사이의 길을 따라 지나가는 거야.
그냥 가는 게 아니라, 다양한 재료로 만들어진 인물상과 동물상들을 담 위로 높이 들고 지나가는 거지.
게다가 지나가는 사람들 중 어떤 이들은 소리를 내기도 하고, 어떤 이들은 조용히 지나가기도 해.
아우우~
꾸루루
실로 기묘한 상황이지?
소크라테스는 우리가 바로 이 죄수들과 같은 처지라고 말해.
엥? 우리가 죄수들과 처지가 같다고요?
계속 들어 봐.
죄수들은 자기들의 맞은편 동굴 벽에 비치는 그림자들을 보게 되지.
이들은 일생 동안 머리조차 움직일 수 없기에
볼 수 있는 것은 오로지 동굴 벽의 그림자들뿐이야.
이들은 자기들이 벽면에서 보는 것들을 실물이라고 생각할 거야.
만약 지나가는 누군가가 소리를 내서, 벽에서 메아리가 나온다면 어떨까?
저 모양이 내는 소리군.
어
응

죄수들은 그림자를
진짜라고 믿게 될 거야.
저것이 아까 엄청나게 큰 소리를 냈던 거지? 작아 보이는데 보기보다 무서운 건가 봐.
만약에 그들 중 누군가가 갑자기 풀려난다면 어떻게 될까?
그… 글쎄요?
풀려난 사람은 일단 몸부터 풀어야겠지. 오랫동안 묶여 있었으니까.
우두둑
우두둑
빨리빨리 나가!
이제 그로 하여금 횃불을 보게 한다면
으윽! …눈이 너무 부셔.
빨랑빨랑 나가라니까!
또한 전에는 그림자로만 보아 온 물건들을 실제로 보여 줘도
어? 이건 그 사납게 울던?
눈이 부셔서 제대로 볼 수 없을 거야.
으… 너무 밝아서 안 보여.
만약에 누군가가 이 사람에게, 이제까지 보아온 것은 전부 엉터리라고 말하는 거야.
자네가 호랑이라고 생각했던 건 바로 토끼였어.
더구나 지나가는 것들을 가리키며 무엇인지를 묻는다면
저…저게 뭐지?
그는 혼란 속에 빠져 현재 일어나는 일들을 믿을 수 없을 거야.
아니야! 지금 일어난 모든 것은 다 거짓말이야!
그리고 아마도 계속 그림자들을 진짜라고 믿으려 하겠지.
말도 안 돼! 그렇다면 지금껏 내가 알고 있었던 모든 것이 다 거짓말이라고? 아니야! 누군가 거짓말을 하고 있는 거야!
그리고 만약 누군가 그를 동굴 밖의 햇빛 속으로 끌어낸다면
싫어! 안 나가! 안 나간다고!
으아악!

햇빛을 보는 순간, 횃불보다 더한 고통이 그에게 다가올 것이고
날… 내버려둬, 제발.
눈이 너무나 부셔서 이제는 어느 것 하나 제대로 볼 수 없을걸?
그러니 기다려 줘야지.
맞아요, 밝은 곳에 적응할 수 있게 기다려 줘야죠. 안 그럼 눈이 아주 나빠질 거예요.
그래, 우선 그는 사물의 그림자들을 쉽게 볼 수 있을 거야.
고개를 돌려가며 볼 수 있다니!
그리고 다음엔 탐에 비친 사람들이나 또는 다른 것들의 상(이미지)을 보게 될 것이고, 나중에는 실물들도 쉽게 볼 수 있겠지.
음….
밤에는 별빛과 달빛을 봄으로써 하늘과 하늘에 있는 것들을 볼 수 있지.
밤하늘이 이렇게 아름답다니…. 오! 저건 달이로구나.
낮에 해가 떠 있을 때보다 더 쉽게 관찰할 수 있잖아.
갇혀 있으면서 동굴 벽만을 바라보는 동료 죄수들이 불쌍하구나.
그가 이제 마지막으로 볼 것은 바로 해야.
동굴 속이나 다른 데 비치는 해의 모습이 아니라
이건… 뭐지?
제자리에 있는 해 그 자체의 모습.
헉!
해가 어떤 것인지를 관찰할 수 있지.
횃불과도, 별빛, 달빛과도 비교할 수 없는 저 굉장한 빛이….
햇빛이라고 해요. 햇빛이 없다면 아무것도 존재할 수 없을 거예요.

또한 그는 해를 보고, 자연을 바라보며 이런 결론을 내릴 거야.
오! 그렇구나. 태양 없이는 나무와 꽃, 온갖 풀들도 자랄 수 없고
해는 계절과 세월을 가져다주며, 보이는 영역에 있는 모든 것을 다스리며
나무 열매와 풀을 먹고 자라는 저 동물도 살 수가 없는 거구나.
또한 그를 포함한 동굴의 죄수들이 보았던 모든 것의 '원인이 되는 것'이라고 말이야.
따라서 우리가 보는 모든 것은 저 태양이 없이는 불가능한 것이야. 태양은 모든 것의 근본일 수밖에 없는 거야.
이제 이 사람의 마음은 어떤 변화를 맞게 될까?
그렇다면 지금껏 내가 본 것들은 아무것도 아니었고
지금까지 살아온 동굴과 그곳에서 진리라고 알고 있었던 것들,
아무것도 아닌 것을 보아온 세월들도 다 거짓이었단 말이야?
그리고 같이 지낸 동료 죄수들을 생각하면 지금 자신의 변화에 대해서는 스스로 행복해 하겠지만
아직도 그들은 아무것도 아닌 것을 진실이라 여기며 살고 있겠구나. 나도 이렇게 풀려나지 않았다면 그들처럼 거짓 삶을 살아가고 있겠지?
여전히 동굴 속에 있는 죄수들을 불쌍히 여기겠지.
이 빛을 조금이라도 그들에게 보여 줄 수 있다면….
그런데 만약 이 사람이 다시 동굴로 내려가 전과 같은 자리에 앉는다면
으아악! 싫어, 싫어! 이런 법이 어디 있어?
동명이인이야. 자네가 아니래.
햇빛이 동굴 속에 안 들 테니 그의 눈은 도로 어두워질 거야.
이렇게 줬다 뺏는 게 어디 있어. 사람 약 올리는 것도 아니고….
여기서 질문 한 가지!
어째 조용하다 했지.

만약 그가 계속 그곳에서만 있었던 다른 죄수들과 그림자들을 판별하는 시합을 한다면?
감옥에서 그런 시합도 한다고요?
예를 들면!
누가 유리하겠어?
그거야 계속 묶여 있던 사람이겠죠. 갑자기 깜깜한 데 가면 뭐가 보이겠어요?
그래… 맞아.
어둠에 익숙해지는 데 시간이 걸리기 때문에 아마 십중팔구 지고 말 거야.
너희가 보는 이것이 다가 아니야! 밖에는 상상할 수 없는 많은 것들이 있다고.
또한 다른 죄수들은, 그가 위로 올라가더니 눈을 버리고 왔다면서 불쌍히 여길 테고
나갔다 오더니 정신이 이상해졌어. 아마 밖에는 정말 끔찍한 것들이 많이 있나 봐.
올라가려고 애쓸 필요도 없다고 하겠지.
나 좀 풀어줘. 나가고 싶단 말이야. 이건 사는 게 아니라고.
그러니 만약 누군가가 이들을 풀어주고 위로 데려가려고 한다면
음… 오늘은 죄수 3, 4가 출소하는 날이다. 나와!
순순히 따라나서기는커녕, 맹렬히 반발하거나 아니면 죽으려 할지 몰라.
안 나가! 안 나가!
이제 비유는 끝났어. 이 동굴의 비유는 워낙 유명한 이야기라서
꼭 옛날얘기 듣는 기분이에요. 또 해 주지.
거봐. 철학도 공부하다 보면 재미있는 부분이 아주 많거든.
상식 차원에서도 그 내용을 제대로 파악해 둘 필요가 있단다.
아… 점점 쌓여 가는 나의 상식들. 이런 얘기만 나오면 좋겠다.
상식 상식 상식 상식 상식 상식
그리고 각각의 내용이 상징하는 바를 잘 알아 둬야 해!
여기서 동굴 감옥은 우리가 눈으로 볼 수 있는 세상을 의미하지.
감옥의 불빛은 해의 힘이고, 한 죄수가 위로 올라가서 높은 곳에 있는 것들을 구경한 것은 '지성으로 알 수 있는 영역'을 향해 올라간 거야.

이렇게 볼 때, 인식되는 영역에서 마지막으로 보게 되는 것이 바로
'좋음' 의 이데아라는 거야.
깡
'해' 가 그것을 상징하지. 그리고 이 '좋음' 의 이데아가 진리와 지성의 근원임을 알게 되지.
지금껏 했던 이야기의 반복이야. 어려울 것 없지.
그러니까 '해' 는 곧 좋음의 이데아이고, 좋음의 이데아는 진리와 지성의 근원이라는 거죠?
동굴 속에 갇혀 있는 사람들은 철학을 모르는 대부분의 사람들을 상징한단다.
그들은 그림자를 보면서 그것이 실재라고 믿고 있고
앞에서 설명한 것들을 정리하는 거야.
참된 이데아가 있지만 그것을 깨닫지 못하고
동굴 속에만 있어서 '해' 를 알지 못하기 때문에 참된 이데아를 알 수가 없지.
현실 세계에 얽매여 그것이 참된 이데아인 줄 알고 있다는 말이지.
맞아요. 동굴 속 세상이 전부인 줄 알기 때문인 거죠.
철학은 사람들을 깨우쳐서 참된 인식으로 인도해 주는 것이고….
빛이란 것이 횃불이 다가 아니구나.
이렇게 엄청난 빛이 있다니…. 상상도 못 했어!
한 국가의 통치자가 될 사람은 동굴 안의 현상 세계가 아닌,
동굴 밖의 실재 세계를 볼 수 있는 사람이어야 해.
즉 '좋음' 의 이데아를 보아야 하는데, 이것은 결코 쉽지는 않아.

이러한 인식에 도달하려면
나라에서 교육과 훈련을 시켜야 하는데
그만큼 중요하니까.
어디서나 빠지지 않는 말이네요. 교육과 훈련….
일단, 예비 교육 단계에서 수학, 기하학, 천문학, 화성학 등을 가르쳐.
수학
기하학
천문학
이 과목들은 감각의 세계에서 예지의 세계로 영혼을 인도하는 필수 과목들이야.
이 책들이 영혼을 인도한다고?
달리 보면, 철학 교육을 위한 서곡이라고도 할 수 있지.
빰 빠빠빰~ (운명)
특히 수학은 모든 것에 공통적으로 사용되는 것으로
가장 먼저 배워야 하는 과목이야.
우리가 수학을 공부해야 하는 이유도,
현실에서 유용하게 써먹기 위해서가 아니라 그 내용을 배우는 과정에서 '정신 능력'이 길러지기 때문이지.
쑤~욱
정신능력
사실 더하기와 빼기, 구구단, 그리고 간단한 통계 정도만 알아도 사는 데는 아무 지장이 없단다.
복잡한 함수나 그래프 같은 것을 몰라도 생활하는 데는 아무 상관없다는 말씀!
하지만!
수학이야말로 지성만을 사용하여 실재로 향하는 학문이므로, 우리의 영혼을 진리와 빛으로 이끌어 준단다.
난 진리와 빛으로 가기는 이미 틀려 버렸네 뭐.
두 번째 필수 과목은 기하학이야.
수학도 갈 길을 모르겠는데 무슨 기하학?
쾅 쾅
기하학 역시 우리의 사유를 전환시키는 데 도움을 주고
쾅 쾅

'좋음'의 이데아를 쉽게 보도록
하는 데 도움이 되는 과목이야.
수학 잘하는 친구들을 살짝 찾아볼까?
씩
씩
세 번째 필수 과목은 천문학이야.
아! 천문학?
힉-
하늘에 있는 사물의 운동을 통해
질서와 조화를 배우지.
천문학에는 관심이 좀 있어요.
마지막 과목은 화성학인데,
천문학에서 천체들의 조화를 배웠으니,
화성학?
이번에는 청각을 이용해
소리의 조화를 배우는 거야.
아… 어렵다.
이 예비 과정을 모두 마치고 나면
다시 우수한 사람들을 선발하지.
어렵게 뽑혔으니 똑똑하지 않을 수가 없겠네요.
그리고 그들에게 본격적으로
철학 교육을 실시하는 거야.
공부하는 게 재밌으세요?
당근이지!
변증법(변증술)을 집중적으로
훈련시켜.
변증법이요? 어디서 들어 본 말인데….
변증법 팔아요!
변증법은 통치자가 될 젊은이들이
반드시 거쳐야 할 최종 학문이자
최종 관문이야.
우르르르-
변증법
변증법의 원래 의미는 대화술 또는
문답법이라는 뜻이야.
진정한 철학은 변증법을 통해서만 실천할 수 있지.
변증법
변증법의 창시자라고 일컬어지는
엘레아 학파의 제논은
상대편이 주장하는 말의 잘못된 점을 증명하면서 내 주장의 올바름을 말하는 것!
다… 다시요.

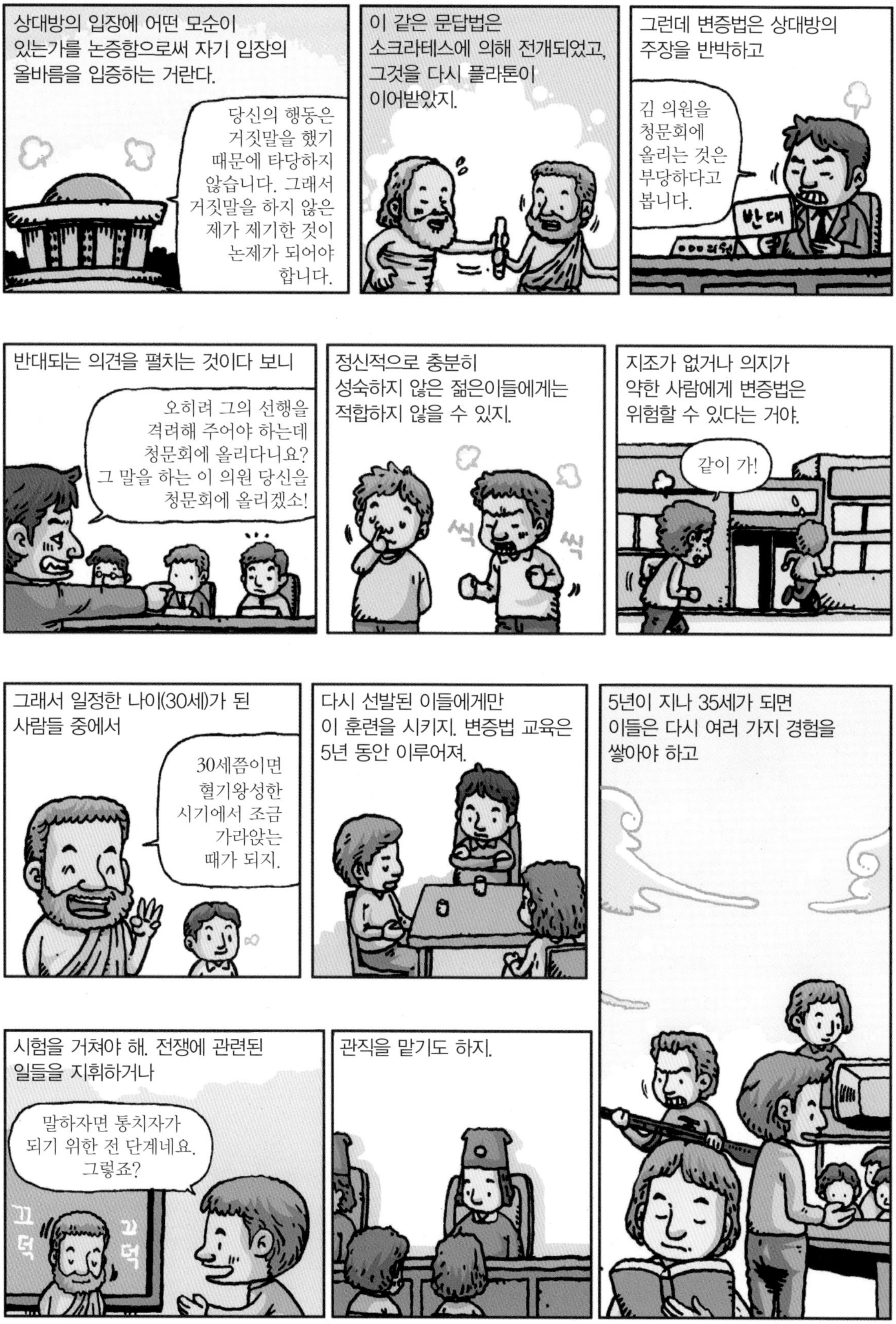
상대방의 입장에 어떤 모순이 있는가를 논증함으로써 자기 입장의 올바름을 입증하는 거란다.
당신의 행동은 거짓말을 했기 때문에 타당하지 않습니다. 그래서 거짓말을 하지 않은 제가 제기한 것이 논제가 되어야 합니다.
이 같은 문답법은 소크라테스에 의해 전개되었고, 그것을 다시 플라톤이 이어받았지.
그런데 변증법은 상대방의 주장을 반박하고
김 의원을 청문회에 올리는 것은 부당하다고 봅니다.
반대
반대되는 의견을 펼치는 것이다 보니
오히려 그의 선행을 격려해 주어야 하는데 청문회에 올리다니요? 그 말을 하는 이 의원 당신을 청문회에 올리겠소!
정신적으로 충분히 성숙하지 않은 젊은이들에게는 적합하지 않을 수 있지.
씩
씩
지조가 없거나 의지가 약한 사람에게 변증법은 위험할 수 있다는 거야.
같이 가!
그래서 일정한 나이(30세)가 된 사람들 중에서
30세쯤이면 혈기왕성한 시기에서 조금 가라앉는 때가 되지.
다시 선발된 이들에게만 이 훈련을 시키지. 변증법 교육은 5년 동안 이루어져.
5년이 지나 35세가 되면 이들은 다시 여러 가지 경험을 쌓아야 하고
시험을 거쳐야 해. 전쟁에 관련된 일들을 지휘하거나
말하자면 통치자가 되기 위한 전 단계네요. 그렇죠?
끄덕
끄덕
관직을 맡기도 하지.

또한 여러 가지 유혹에 대해 흔들리지 않고 잘 버티는지도 시험받지.
이 기간은 무려 15년이나 된단다.
그야말로 철학으로 한평생을 사는 거네요.
그래, 이제 이들은 50세가 되었어. 이제 맡은 임무를 잘 해내고
실무와 학술 면에서 두루 우수하다면
드디어 최종 목표에 도달했다고 볼 수 있지.
최종적으로 뽑힐 사람의 윤곽이 잡혀가고 있구나.
이제 이들을 최종 단계로 인도해야 해.
이쪽으로 들어오십시오, 마지막 관문이 남아 있습니다.
그들이 '좋음'의 이데아를 보도록 하고
이를 본 다음에는 이것을 본보기로 삼아 나라를 통치하도록 해야 해.
그들은 철학(변증법)을 주요 과제로 하고,
앞에서 말한 변증법이 다시 거론되지? 그만큼 중요한 거야.
자기 차례가 오면 통치자가 되어 국정을 보살피지.
그리고 자기들과 같은 또 다른 사람들을 교육해서 국가의 수호자로 양성해 놓고 드디어 '행복의 섬'을 향해 떠나는 거야.
남은 여생 편하고 행복하게 보내야지.
행복의 섬

국가는 이들의 기념비를 세우고, 제물을 올리는 의식을 행하지.
이들을 수호신으로 모시는 것도 고려하지.
윽… 사람을 수호신으로 까지…?
물론 남성과 여성에 상관없이 통치자에게는 누구나 해당되는 내용이야.
남녀평등! 아주 멋진 말이지?
이런 국가와 제도를 현실에서 실현하기는 어렵지만, 불가능한 건 아니야.
이런 방법이 아니고서는 결코 훌륭한 나라가 나올 수가 없는 거지.
그러면서 이런 국가를 좀 더 빨리 이루기 위한 묘안을 하나 내놓지.
국가가 국민들의 교육 전체를 관리하는 거야.
모두 다요?
물론이지.
출생에서 10세까지, 10세에서 20세까지, 20세에서 30세까지.
1~10
10 ~ 20
20 ~ 30
이렇게 3단계로 나눠서 국가가 엄격하게 통제하고 지도하는 게 가장 좋은 방법이라고 해.
통치자의 교육은 이 손 안에 있소이다!
국가
당시 아테네의 교육은 가정을 중심으로 이루어지고 있었어.
아가, 놀기만 해서야 되겠니? 이제 책을 읽어 보자꾸나.
아까 유모가 읽어 줬어요. 이제 물놀이 하고 놀 거예요.
유아에서 7세에 이르기까지는 보통 노예들과 부모들이 가르치고
옛날에 흥부와 놀부가….
7세에서 13세까지의 초등 교육, 13세부터 16세까지의 중등 교육도 사적으로 이루어지고 있었지.
가정교사를 둘 정도면 굉장히 잘 사는 가정일 텐데….
이야기의 초점은 그게 아니야.

물론 고등 교육에 있어서도
수사학이나 철학의 교육이 비형식적인 방법으로 행해지고 있었고
자, 오늘은 저번 수업에 이어 공부하겠습니다.
플라톤은 이러한 교육 제도를 근본적으로 바꿀 것을 주장한 거야.
윽!
쿵
사교육 폐지
이제 더 이상 사교육은 안 돼!
동감!
완전한 공교육 체제로 바뀌어야 해.
요즘같이 사교육비가 많이 드는 상황에선 정말 절실하다니까.
개천에서 용 난다는 말은 옛날이야기지. 돈 없이 공부하는 건 어림도 없다고!
우선 각 가정에선 각종 놀이지도와 신화를 통해 조기 교육을 시키도록 하지.
동일한 조기교육
모든 아동들이 같은 시기에, 같은 출발점에서 시작하는 거지.
그 다음 아이들이 10세가 되면 건전하고 새로운 교육을 위하여
벌써 열 살이 되다니! 으흐흑.
후
부모로부터 격리시키고 모두 시골로 보내는 거야.
부디 훌륭한 사람이 되거라!
부모들은 이미 세파에 찌들어 있기 때문에
아이들에게 부정적인 영향을 줄 수 있기 때문이라는군.
나도 저런 거 해 보게 빨리 어른이 되고 싶다.
이제 시골에 모아 놓은 열 살짜리 아이들에게 무엇을 해야 할까?

이 아이들 각자가 타고난 소질과 잠재력을 발휘할 수 있도록 해야 해.
학습이라는 것은 강제로 시켜봤자 머리에 남는 것도 없으니 말이야.
으… 성격에 안 맞아!
그럴 바에는 차라리 놀게끔 하면서 키우는 게 좋다는 거야.
모처럼 맘에 드는 이야기예요. 울 엄마한테 가르쳐 드려야지.
이렇게 10여 년이 흐른 다음
이들이 20세가 되면 성인이 된 후에 할 일들을 구경시키고
그에 적합한 경험을 쌓도록 하는 거지.
그리고 다시 30세가 되면 위에서 말한 방식대로 선발과 교육이 이루어져.
플라톤은 이상국가 실현을 위한 철인 통치자를 양성하기 위해
헤헤… 아저씨 얼굴이 이렇게 생겼구나.
뽀샵처리 좀 해 주지.
이와 같은 조직적이고 체계적인 교육 방법을 주장했어.
어쨌든 내가 생각한 교육 방법이 근사하지 않아?
그렇다면 통치자로서의 자질을 갖춘 사람이 실제로 철인 통치자가 되기까진
이게 뭐야아!
왜… 왜 그래?
10세에서 50세까지… 와! 무려 40년이 걸리네!
난 통치자 안 해!
그래… 통치자는 아무나 하는 게 아니라니까.
씩 씩

변증법을 아시나요?

변증법은 대화술, 문답법이라는 뜻을 가지고 있습니다. 창시자로 불리는 제논 시대에는 변증법이 토론이나 변론술을 위해서 필요한 대화 방법이었지만, 나중에 소피스트들의 시대에 들어서는 논의를 위한 논의, 반론을 위한 반론을 위해 사용되어 말장난으로 전락하고 말았어요.

제논. 고대 그리스의 철학자이다. 그의 철학은 윤리학이 중심이며, 자연과 일치되는 삶이 그의 목표였다.

하지만 소크라테스와 플라톤에 의해 변증법은 철학의 한 방법으로 다시 태어나게 되었습니다. 소크라테스는 변증법을 대화술, 문답법으로 훌륭하게 사용했어요. 그는 아테네의 길거리에서 수많은 사람들과 철학적인 문답을 나누었는데, 어떤 질문을 하여 상대방이 대답하면 그 대답을 찬찬히 짚어 보면서 상대에게 모순이 있음을 자각시킴으로써 스스로 진리에 접근할 수 있게 도와주곤 했습니다.

소크라테스의 사상을 계승한 플라톤 역시 변증법을 크게 발전시켰습니다. 그는 변증법을 학문의 최고의 방법이라고 여겼습니다. 소크라테스의 변증법이 상대방과 말을 주고받는 '문답술' 에 비중을 두었다면, 플라톤은 진리를 탐구하기 위한 사유의 방법으로 사용했습니다. 플라톤은 진리를 찾아 사색할 때, 언제나 스스로 묻고 스스로 답하면서 자기 자신을 상대로 대화를 나누었어요. 반면에 플라톤의 제자였던 아리스토텔레스는 변증법을 학문의 방법으로서는 크게 인정하지 않았어요. 그는 변증법은 생각하는 데 필요한 한 가지 훈련 방법이라고 여겼어요.

칸트. 독일의 철학자로 서유럽 근세철학의 전통을 집대성하고, 전통적 형이상학을 비판하며 비판철학을 탄생시켰다.

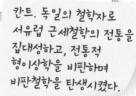

변증법이란 말에 다시 중요성을 부여한 철학자는 칸트입니다. 칸트는 변증법을 우리의 이성이 빠지기 쉬운, 언뜻 보기에는 옳지만 잘못된 추론을 할 때 이를 비판하는 도구로 사용했어요. 그리고 헤겔이라는 철학자는 사람이 무엇을 인식하는 데는 '정(正) - 반(反) - 합(合)'이라는 세 단계를 거치는데, 이러한 과정을 변증법이라고 여겼습니다. '정'의 단계란 그 자신 속에 모순을 포함하고 있음에도 불구하고 그 모순을 알아채지 못하고 있는 단계이며, '반'의 단계란 그 모순이 자각되어 밖으로 드러나는 단계이지요. 그리고 이와 같이 모순에 부딪힘으로써 제3의 '합'의 단계로 전개해 나간다고 했습니다. 합의 단계는 정과 반이 종합, 통일된 단계이며, 여기서는 정과 반에서 볼 수 있었던 두 개의 규정이 함께 부정하고 동시에 함께 살아나서 통일되는 단계로, 비로소 어떤 것을 올바르게 인식하게 됩니다.

헤겔. 칸트 철학을 계승한 독일의 관념론자이다. 이 모든 사물의 전개(展開)를 정(正)·반(反)·합(合)의 3단계로 나누는 변증법은 그의 논리학과 철학의 핵심이다.

제10장 타락한 국가와 혼

지금까지 가장 훌륭한 국가란 어떤 것인가에 대해 알아봤어.
원래는 나쁜 국가를 알아보려다 여기까지 왔으니 다시 원래의 길로 가야겠지?
제가 기억하기로는 완벽한 국가 외에 결함이 있는 국가로는 네 가지가 있고
그것들을 닮은 사람들도 네 가지 부류가 있다고 말씀하셨습니다.
그리고 우리가 그런 잘못된 국가를 살펴보는 것은
가장 훌륭한 사람과 가장 나쁜 사람이 어떤 사람인지와, 가장 훌륭한 사람은 가장 행복하지만 가장 나쁜 사람은 가장 비참하다는 점을 알아보기 위해서라고 말씀하셨습니다.
길—다.
그는 소크라테스에게 네 가지의 나쁜 국가를 알려 달라고 부탁했어.
저렇게 간단하게 말하면 될걸….

네 가지의 나쁜 국가란?
명예 정체
과두 정체
민주 정체
참주 정체
정체? 그게 무슨 뜻이죠?
정체란 일종의 정치 체제로 국가와 마찬가지의 뜻이란다.
나쁜 국가는 명예 국가, 과두 국가, 민주 국가, 참주 국가가 되는 셈이지.
명예 정체는 흔히들 말하는 스파르타식 국가이고
모두 정렬!
척 ~
과두 정체는 경제적으로 부유한 사람들이 지배하는 국가를 의미해.
민주 정체는 과두 정체에 이어 일어나는 나쁜 체제이고, 참주 정체는…
이건 내가 얘기하지. 참주 정체는 그리스에서 가장 흔히 볼 수 있는 독재 정체란다. 바로 내가 살았던 시대지.
앞장에서 말한 철인 정체까지 합하면 이 세상엔 모두 다섯 가지의 정체가 있어.
풍 ~ 덩
명예
과두
철인
민주
참주
그리고 재밌게도 각 정체마다 그것들을 꼭 닮은 사람들이 있지.
우리는 무슨 정체를 닮았게?
먼저 명예 정체부터 풀어 보자.
명예면 좋은 건데?
명예 정체
그런데 내용을 살펴보면 좀 불명예스러워.
명예 정체가 철인 정체에서 어떻게 생겨나는지가 중요해.
유감스럽게도 최선의 국가도 영원히 지속되지 못해. 정체는 언제나 지배력이 분열될 때 변화하지.
지
배력
지배력의 분열이라. 요즘에도 흔히 볼 수 있지?
철인 정체도 역시, 통치자들과 보조자들 사이의 내분 때문에 멸망했다고 해.
문제의 발단은 여기에 있어.
삿대질하지 마! 기분 나쁘게.
통치자 계급
통치자 계급에서 이른바 '나쁜 시기'에 태어나는 아이들이 있다는 거야.
사주팔자를 말하는 건가요?
…

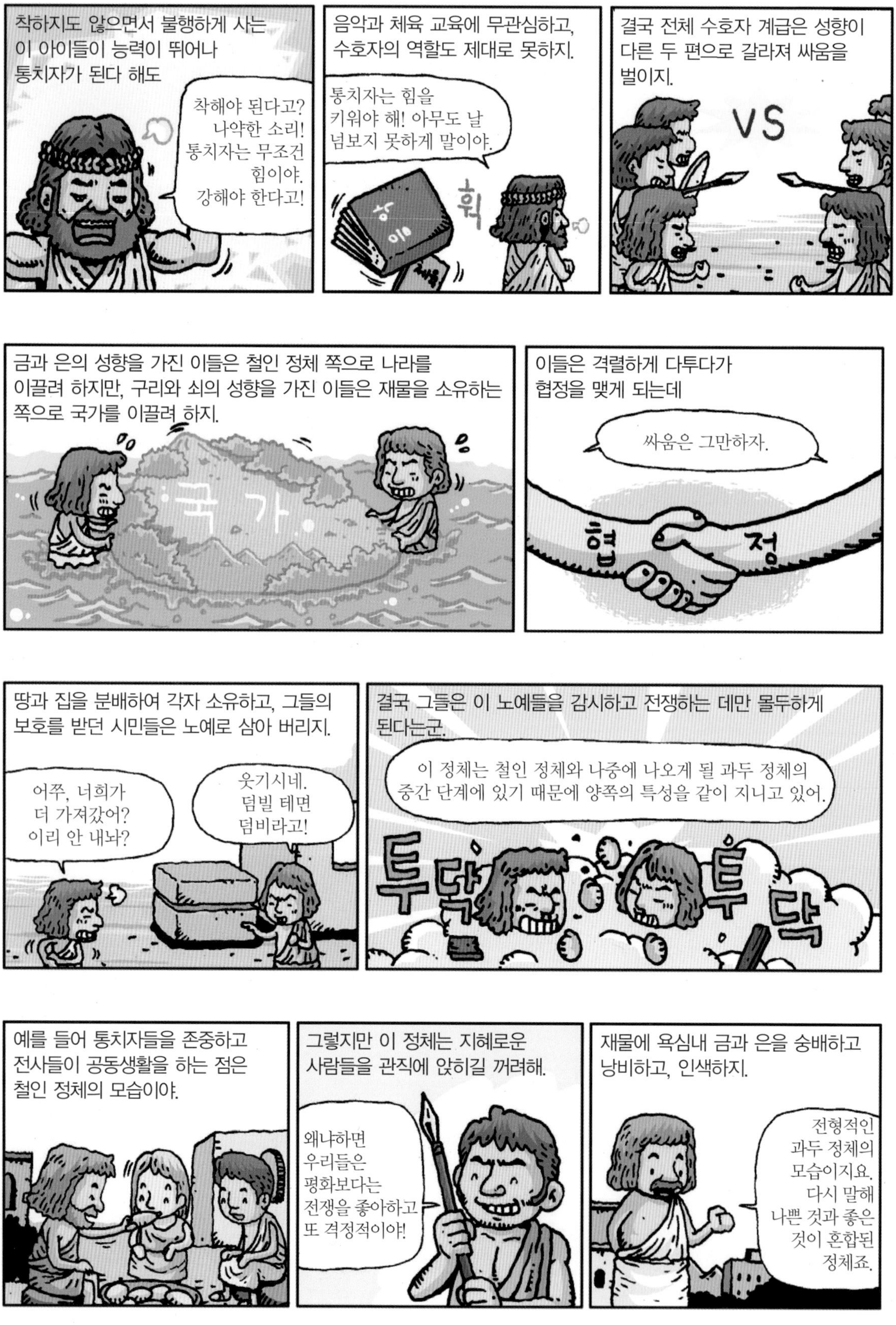
착하지도 않으면서 불행하게 사는 이 아이들이 능력이 뛰어나 통치자가 된다 해도
착해야 된다고? 나약한 소리! 통치자는 무조건 힘이야. 강해야 한다고!
음악과 체육 교육에 무관심하고, 수호자의 역할도 제대로 못하지.
통치자는 힘을 키워야 해! 아무도 날 넘보지 못하게 말이야.
휙
결국 전체 수호자 계급은 성향이 다른 두 편으로 갈라져 싸움을 벌이지.
VS
금과 은의 성향을 가진 이들은 철인 정체 쪽으로 나라를 이끌려 하지만, 구리와 쇠의 성향을 가진 이들은 재물을 소유하는 쪽으로 국가를 이끌려 하지.
국가
이들은 격렬하게 다투다가 협정을 맺게 되는데
싸움은 그만하자.
협 정
땅과 집을 분배하여 각자 소유하고, 그들의 보호를 받던 시민들은 노예로 삼아 버리지.
어쭈, 너희가 더 가져갔어? 이리 안 내놔?
웃기시네. 덤빌 테면 덤비라고!
결국 그들은 이 노예들을 감시하고 전쟁하는 데만 몰두하게 된다는군.
이 정체는 철인 정체와 나중에 나오게 될 과두 정체의 중간 단계에 있기 때문에 양쪽의 특성을 같이 지니고 있어.
투닥 투닥
예를 들어 통치자들을 존중하고 전사들이 공동생활을 하는 점은 철인 정체의 모습이야.
그렇지만 이 정체는 지혜로운 사람들을 관직에 앉히길 꺼려해.
왜냐하면 우리들은 평화보다는 전쟁을 좋아하고 또 격정적이야!
재물에 욕심내 금과 은을 숭배하고 낭비하고, 인색하지.
전형적인 과두 정체의 모습이지요. 다시 말해 나쁜 것과 좋은 것이 혼합된 정체죠.

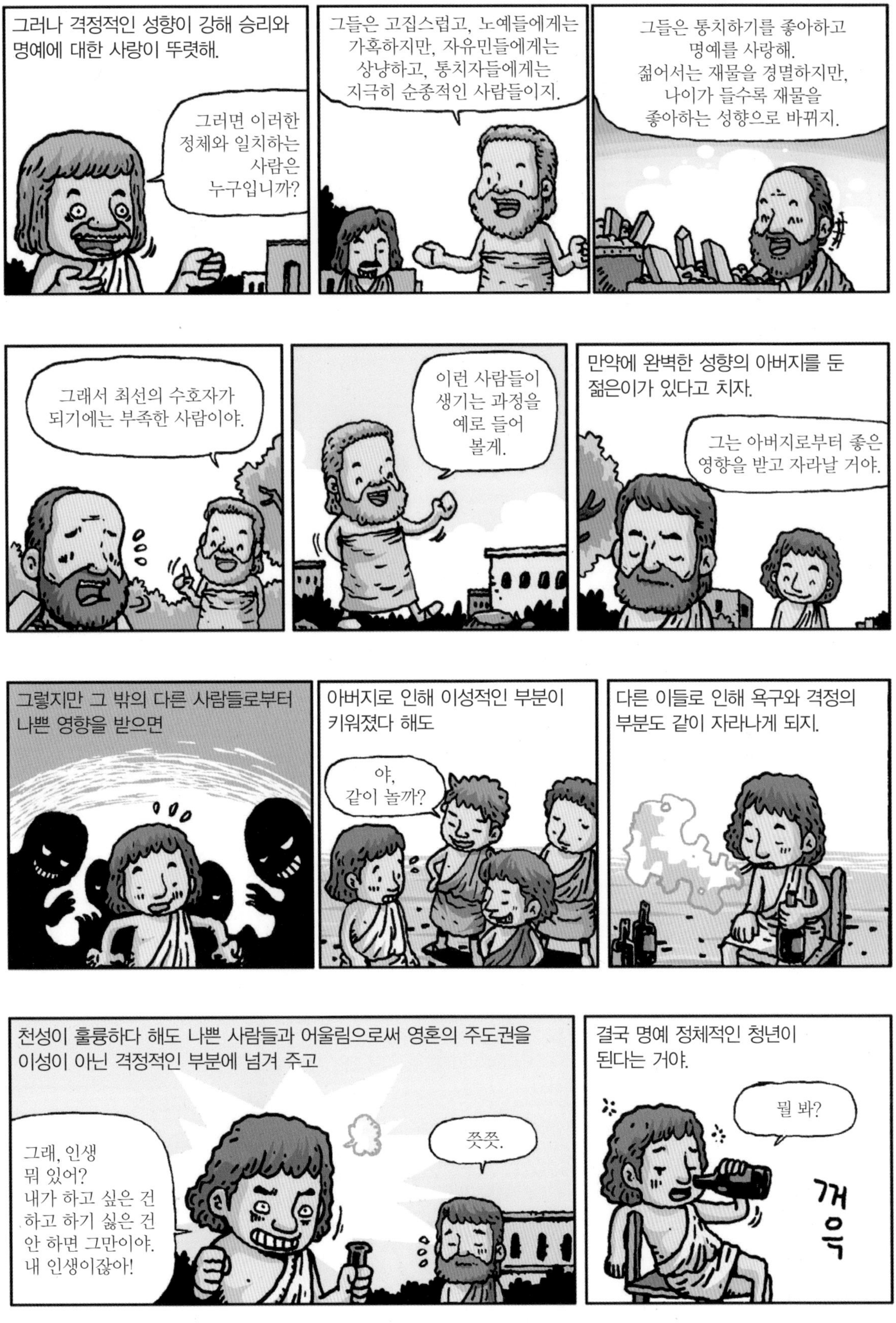
그러나 격정적인 성향이 강해 승리와 명예에 대한 사랑이 뚜렷해.
그러면 이러한 정체와 일치하는 사람은 누구입니까?
그들은 고집스럽고, 노예들에게는 가혹하지만, 자유민들에게는 상냥하고, 통치자들에게는 지극히 순종적인 사람들이지.
그들은 통치하기를 좋아하고 명예를 사랑해. 젊어서는 재물을 경멸하지만, 나이가 들수록 재물을 좋아하는 성향으로 바뀌지.
그래서 최선의 수호자가 되기에는 부족한 사람이야.
이런 사람들이 생기는 과정을 예로 들어 볼게.
만약에 완벽한 성향의 아버지를 둔 젊은이가 있다고 치자.
그는 아버지로부터 좋은 영향을 받고 자라날 거야.
그렇지만 그 밖의 다른 사람들로부터 나쁜 영향을 받으면
아버지로 인해 이성적인 부분이 키워졌다 해도
야, 같이 놀까?
다른 이들로 인해 욕구와 격정의 부분도 같이 자라나게 되지.
천성이 훌륭하다 해도 나쁜 사람들과 어울림으로써 영혼의 주도권을 이성이 아닌 격정적인 부분에 넘겨 주고
그래, 인생 뭐 있어? 내가 하고 싶은 건 하고 하기 싫은 건 안 하면 그만이야. 내 인생이잖아!
쯧쯧.
결국 명예 정체적인 청년이 된다는 거야.
뭘 봐?
꺼윽

이제는 과두 정체의 차례야.
과두 정체는 한마디로 말해 재물이 가장 중시되는 나라야.
어찌 보면 현대 자본주의 사회의 어두운 면만 골라 놓은 것과 같아.
과두 정체는 명예 정체로부터 비롯되지.
음… 말만 들어도 안 좋은 정체인 것 같아요.
명예 정체를 무너뜨리는 것은 역설적으로 그들의 풍족한 재산이야.
이건 다 내 거야. 아무도 못 건드려!
사람들은 서로 경쟁하면서 돈을 벌려고 하는데, 그러면 그럴수록 훌륭함은 줄어들거든.
좋은 일 좀 하시죠?
내가 어제 주식으로 잃은 게 많거든. 잃은 거 다시 찾게 되면 좋은 일 할게.
재물과 훌륭함은 서로 반비례 관계인지도 몰라. 부자들은 점점 귀하게 대접받고, 훌륭한 사람들은 멸시당하지.
그리하여 승리와 명예를 사랑하던 명예 정체는 마침내
제 앞가림이나 잘하지, 뭐야. 저런 일 해서 정치판에 나가 동정표라도 얻을 심산인가 보지?
돈과 돈벌이를 우러러보는 과두 정체로 바뀌게 된단다. 이제는 나라의 법을 정할 때도 재산의 많고 적음이 기준이 되고, 재산이 적은 사람은 관직에 참여하지도 못 해.
정치도 돈이 있어야 하는 거라고. 돈도 없는 거지 같은 것들이 정치하겠다고 나오다니 제 정신들이 아니야. 자, 오늘은 얼마나 돈이 불었는지 볼까?
이런 나라가 과연 제대로 굴러갈 수 있을까?
절대로 안 되죠! 그런 나라는 존재하면 절대 안 돼요!
자, 선박의 항해사를 뽑으면서, 항해술로 평가하지 않고
재산을 기준으로 뽑는다면 그 배가 제대로 나아갈 수 있을까?
세계 곳곳에 호텔이 10개가 넘고 셀 수 없을 만큼의 돈도 있고…. 날 뽑아 준다면 그만한 대가를 지불하지!
국가의 통치도 마찬가지일 텐데 말이야.
돈도 많은데 정치판에 한번 나가 봐?

그렇다고 이 국가에 부자들만 있겠니?
나으리, 한 푼만….
더럽게 어딜 만져?
부자가 있다는 것은 가난한 사람도 있다는 말이야.
휙
돈이 있으면 재투자가 이루어질 수 있어서 더욱 큰 돈을 벌 수 있겠지.
맞아, 돈이 돈을 부르지. 으하하!
반면에 가난한 사람은 현재 생활 수준을 유지하는 것도 벅차지.
'부익부 빈익빈' 이라는 말도 있잖아? 개인적으로 난 이 말을 피부로 느껴.
빈
부
이 빈자와 부자의 두 부류가 함께 살면서 서로 반목하고 갈등하게 돼.
당연하지!
게다가 거지, 도둑, 소매치기 등 나쁜 짓을 하는 사람들도 늘어나게 돼.
난 의적이야. 부자들만 골라서 돈을 훔치지!
그래도 도둑은 도둑이야.
이런 사람들이 생기는 건 결국 교육 부족과 잘못된 양육 탓인데….
정말 이 나라가 어찌 되려고…. 제발 반듯한 국가가 되어야 하는데.
그래, 최종적으로 그 원인은 나쁜 정체 때문이야.
나쁜 국가….
이제 명예 정체적 인간이 과두 정체적 인간으로 변화하는 과정에 대해 설명할게.
명예 정체적인 사람이 자식을 두었다 치자, 그 자식은 처음에는 부모를 닮고 따르려 하겠지.
그런데 만약 부모가 억울하게 처벌을 받았다고 해 보자. 처형당하거나 추방되거나, 또는 재산 몰수라도 당하게 되면 자식은 잔뜩 겁을 먹게 되지.
차압

그리고 명예에 대한 사랑과 격정은 영혼에서 지워지고, 가난에 시달린 나머지 돈벌이에만 열중하게 돼.
싸게 팔아요.
결국 그의 이성과 격정은 욕구 앞에 굴복하게 되고, 명예를 사랑하던 사람이 한순간에 재물을 사랑하는 사람으로 바뀌는 거지.
난 명예를 지키고 싶었다고! 그렇지만 명예가 밥 먹여 주진 않잖아. 날 비난하는 당신도 내 처지라면 마찬가지 일 거야!
이제 민주 정체를 생각해 보자.
과두 정체에서 민주 정체로 바뀌는 것은 부자가 되고자 하는 사람들의 만족할 줄 모르는 욕망 때문이지.
어때 내용이 좀 이상하지? 우리는 오늘날 가장 좋은 정치 체제가 민주주의고
우리는 민주국가를 원한다! 독재자는 물러가라!
와~
가장 이상적인 나라 역시 민주국가라고 생각하는데
소크라테스는 그 반대의 생각을 말하고 있잖아?
쿠당
민주국가
실제로 소크라테스는 민주 정체를 이렇게 말하지
나쁜 것으로 가득 찬, 화합하지 못하는 정체가 바로 민주 정체!
뭐라고요?
민주 정체가 과두 정체에서 나온 것이라고 하니까 과두 정체가 무너지는 과정부터 알아보자고.
우르르~
과두정체
과두 정체의 문제는 모두가 재물에 대해서 끝없이 욕심을 부린다는 점이야.
통치자들은 시민들이 재물을 낭비하거나 말거나 상관하지 않아.
써라, 마구 써라. 으흐흐흐….
오히려 그들은 시민들의 재산을 사들이는가 하면 그걸 담보로 돈놀이까지 해.
이자 100%! 싫음 말고.

그럴수록 통치자들은 한층 더 부유해지고 더욱 존경받게 된단다.
우리랑은 사는 차원이 다르네.
과두 정체에서는 무절제를 문제 삼지 않고 오히려 그걸 부추기니 멀쩡하던 사람도 가난해지지 않을 수가 없어.
이상하다. 난 분명히 부자였는데…?
가난에 빠진 이들은 하는 일 없이 어슬렁거리다가 빚을 지기도 하고,
대박을 꿈꾸는 분은 이 지상낙원으로 오세요! 돈이 없어도 됩니다. 여차하면 몸으로 때우면 되고.
게임·도박
자신들의 것을 빼앗아 간 사람들을 미워하며 혁명을 기다려.
세상을 뒤집어야 해!
그러나 돈벌이를 일삼는 사람들은 이들에게 전혀 관심이 없어.
통치자들과 그 가족들은 사치와 낭비를 일삼고 나약하고 게으르지.
아, 피곤해.
돈벌이 외에는 무관심하며, 훌륭함과 올바름에 대해서도 아무 생각이 없어.
빈민 구호 단체에서 기부 좀 하라는데요?
난 지금 돈 버느라 바쁘거든. 돈 많이 벌면 도와준다고 그래.
나라에 내분이 생기는 건 당연한 수순!
더 이상 못 참아!
가난한 사람들과 부유한 사람들이 서로 대결을 벌이는데 가난한 사람이 이기지.
니들이 배고픔을 알아? 가난을 아느냐고!
내가 왜 알아야 하는데?
그리고 부자들을 모조리 내쫓고 시민들에게 평등하게 관직을 배정해.
관직들이 추첨에 의해서 할당될 때 민주 정체가 생기는 거야.
투표함
소크라테스는 이 대목에서 당시 아테네의 민주주의를 비꼬았어.

소크라테스가 보기에 이 민주 정체의 두드러진 특징은 바로 무제한의 자유야.
무슨 말이든 할 수 있는 언론의 자유와
자기 마음대로 할 수 있는 행동의 자유가 있으니, 이 정체에서는 온갖 부류의 인간들이 생겨날 거야.
게다가 이런 나라에서는 통치자의 자질과 능력을 지녔다 할지라도
반드시 통치자의 역할을 해야 하는 것도 아니지.
에…?
또한 원하지 않으면 통치 받지 않아도 돼. 아무런 강요나 규제, 규범도 없거든.
그러면… 착하게 사는 사람은 살기 힘들 것 같은데?
다른 사람이 전쟁을 하고 있다고 해서 반드시 동참해야 하는 것도 아니고
다른 사람들이 평화롭게 지낸다고 반드시 거기에 어울려야 되는 것도 아니야.
이 나라의 통치자들은 훌륭함이나 지혜를 갖추지 않아도
마치 연기하는 연기자들처럼 말이야?
통치자 님, 결정적인 멘트를 하실 때 반드시 눈물 한 방울 흘리세요.
안약으로 어떻게 안 될까? 눈물이 안 나와.
대중들에게 잘 보이기만 하면 좋은 평가를 받아.
전 여러분을 사랑합니다. 여러분을 위해서라면 이 몸 바쳐… 흐윽!
저 대목에서 우는 게 아니라니까, 하여튼 머리 되게 나빠요.
그러니 소크라테스에겐 이런 나라는 결국 무정부 상태와 다를 바 없고
후
결코 평등하지 않은 사람들을 평등하게 대하는 괴상한 나라인 거야.
와 아~
이제는 과두 정체적 인간이 민주 정체적 인간으로 변화하는 과정을 살펴볼 차례야.
교육도 받지 못하고 인색한 인간으로 길러진 젊은이가 있다고 상상해 봐.
만약 그가 온갖 종류의 쾌락을 제공해 주는 사람들과 어울리게 될 때
우리가 시키는 대로만 하면 뭐든 원하는 대로 해 준다니까.

이 젊은이의 내면에 있는 과두적 정체는 이제 민주적 정체로 향하기 시작하지.
그의 영혼에서는 과두 정체와 민주 정체가 싸움을 벌이게 돼.
시키는 대로라…. 그럼 뭐든 준다는 거지? 대체 나에게 뭘 시키려고 저렇게 말하는 거야?
과두 정체가 우세해지면 욕구들이 쫓겨나면서 영혼에 잠시 질서가 잡히지만
뭔가 함정이 있을 거야. 세상에 공짜가 어딨어?
금세 다른 욕구들이 자라나 결국 이 사람의 영혼을 점령해 버려.
아니야! 내가 평생을 일한다고 해도 저 사람들이 준다는 돈의 십분의 일이나 벌겠어!
스르르~
이 사람의 영혼을 점령한 욕구는 그를 자유방임 쪽으로 끌고 간단다.
결심했어! 당신들이 시키는 대로 할 거야!
그는 오만 무례함을 교양으로, 무정부 사태를 자유로, 낭비를 도량으로,
부끄러움을 모르는 상태를 용기라고 부르게 되지.
쾅
일단 이렇게 변해 버린 사람은 날마다 그때그때의 욕구를 채우기 급급해.
어떤 때는 술에 취해 피리를 부는가 하면, 어떤 때는 물만 마시고 있어.
에헤야~
어떤 때는 체육에 열중하는가 하면 어떤 때는 게으름을 피우면서 아무것도 하지 않아.
내 맘대로 할 거야! 다 내 맘대로 할 거라고!
그런가 하면 느닷없이 철학에 몰두하기도 하고
돈만 갖고는 안 되겠어. 나도 명예를 갖고 싶어….
정치에 참여해서 자리에서 벌떡 일어나 생각나는 대로 떠들어 대기도 해.
저건 또 어디서 굴러온 거야? 개나 소나 다 정치하겠다고 덤비니, 원!
전쟁에 숙달된 사람들이 부러우면 그쪽으로 따라가고
뭐? 전쟁? 야, 재밌겠다! 나도 끼워 줘!
우르르~

돈 버는 사람들이 부러우면
이번에는 그쪽으로 따라가.
그의 삶에는 질서도 계획도 없어.
그래도 난 내 삶이 너무 자유롭고 행복하다고!
소크라테스는 평등이란
이런 것이라면서 신랄하게 비판해.
이제 소크라테스는 참주 정체에
대하여 이야기해 보자고 해.
참주 정체 역시 민주 정체로부터 비롯되는데…
민주 정체는 자유에 대한 끝없는
욕구로 인해 무너진다고 하지.
민주 정체
자유
자유를 갈망하는 민주국가에서
통치자가 충분한 자유를
주지 않으면 그를 몰아내지.
팍 팍
물러가라!
또 통치자에게 순종하는 사람들은
스스로 노예가 된, 쓸개 빠진
사람이라고 비난하지.
이게 무슨 야만적인 행동입니까? 자중하세요, 제발! 이분은 국가를 통치하는 분이라고요!
저 놈은 독재자 앞잡이다! 저 놈부터 잡아!
그러니 통치자나 통치를 받는
사람이나 별로 구별이 없어.
그러니 이런 나라에서는
자유가 극에 달하게 되지.
자유
자유
자유
극도의 자유는 가정과
동물들에게까지 스며들어
나라 전체에 무질서를 가져와.
가정과 동물들에게 어떻게요?
예를 들어 자식이 부모를
어려워하지 않고, 오히려 부모가
자식을 두려워하지.
이씨, 간섭하지 마! 엄마가 뭔데 자꾸 이래라 저래라 하는 거야?
너! 엄마한테 이씨라니? 그거 어디서 배웠어?
학생은 선생을 무서워하지 않고,
노인들은 젊은이들에게
체면을 차리지 않아.

더 극단적인 경우는 노예가 주인과 같은 자유를 누리며 당당하게 구는 경우야.
손님들이 오시니까 음식 준비를 해 두어라.
나 오늘은 일 안 하고 싶은데요.
심지어 짐승들인 개나 말, 당나귀들까지도 사람들을 마구 들이받아.
그야말로 온 세상에 자유가 넘치는 거야.
으아악! 당나귀가 미쳤어!
이 모든 일들이 한데 합쳐지면 어떤 결과를 빚어낼까?
이 나라의 국민들은 조금이라도 누군가에게 복종해야 하는 상황이 오면, 절대 참아내지 못해.
그리고 마침내 시민들은 법률까지 우습게 보고 무시하게 돼. 이것이 바로 참주 정체가 자라나는 시작이야.
법률
따라서 극단적인 민주 정체는 곧 참주 정체를 불러온다는 거야.
그러니까 민주가 지나치면 독재가 온다는 말인 거죠?
그렇지.
민주 정체에선 세 부류의 사람들이 생긴다고 해.
통치자
부자
민중들
첫 번째는 가장 강력하고 용감한 자들인데 통치자가 되지.
나, 멋있지!
으쓱
이들은 연단에서 떠들기도 하고 실제 일을 하기도 하는데
훌륭한 나라를 지켜가기 위해선 우리가 한마음이 되어야 합니다! 아… 내가 생각해도 정말 멋진 연설이야.
그를 따르는 사람들은 연단 주위에서 열심히 맞장구를 쳐.
통치자 만세! 한마음 만세!
이 통치자들을 수벌이라고 보면 돼.
두 번째는 부자들로서 돈벌이에만 관심을 두는 부류야.
돈이 있어야 정치도 있는 거야.
이들은 수벌들에게 꿀을 제공하는 역할을 하지.
그렇지 않은가요, 통치자님?
그… 그래, 고맙게 생각하고 있어.

세 번째는 민중인데,
이들은 손수 일을 해서
먹고 사는 사람들이야.
그들은 정치에는 관여하지 않고,
재산도 별로 없어.
하루 종일 일을 해도 집 장만하기가 하늘의 별 따기예요.
그러나 이들이 힘을 합치면
최대 다수로, 민주 정체하에서
가장 강력한 계급이 되지.
이 세 부류는 갈등과 분열을 하게 돼.
먼저 수벌(통치자)들은 부자들의
꿀을 미끼로
당신들이 이렇게 힘이 드는 건 다 부자들의 욕심 때문이에요. 내가 밀어 줄 테니 파업을 해요! 임금 올려 달라고.
수근 수근
민중을 자기편으로
만들고 부자들을 공격해.
부자들은 자신들의 생명과
재산을 보호하기 위해
부자들만 전부 모이시오.
과두 정치의 실현을 바라며
반발하지.
통치자가 우리를 옭아매려고 합니다. 대책이 필요해요!
그리하여 부자와 민중 사이에
입씨름과 규탄과 재판 소동이 일어나
사태가 험악해져.
임금 인상
수벌들은 민중한테 부자들의
재산을 나눠 줄 것처럼 구슬러서
맘 놓고 해. 뒤에는 우리가 있다.
임금 인상
민중들의 막강한 세력을 등에
업고 스스로 민중의 지도자를
자처하지.
마침내 내란이 일어나면,
그는 민중의 지도자로부터
어느새 참주(독재자)로 변신해.
흐흐흐~
왜, 왜 저래?

그는 처음엔 만나는 사람마다 미소로 대하며
걱정 마세요. 국가에서 다 책임집니다.
양로원
갖가지 선정을 베풀지. 자기는 폭군이 아니라면서 말이야.
빚도 탕감해 주고 땅도 나누어 주면서 착한 척을 하는 거야.
이번 통치자님은 우리네 사정을 너무 잘 알아주셔.
그래 이제 일만 열심히 하면 우리도 잘살 수 있을 거야.
그 다음에는 자기 지위를 오래 보전하기 위해 갖가지 궁리를 해.
흐흐흐, 이제 무얼할까?
대표적인 것이 전쟁을 일으키는 것인데, 지도자가 계속 필요한 상태에 있게끔 하기 위해서지.
그래! 전쟁을 일으키는 거야. 민중들에게 애국심도 키워주고 이기기만 하면 난 영웅이 되는 거라고!
쾅-
쿵-
또한 세금을 더 높게 거두어 민중은 생계에만 매달리게 되고
힘들게 일하고 벌어 봐야 세금내기 바쁘니 원!
반역을 기도할 여유가 없게 돼지.
뭐야, 처음엔 잘 해주는 것 같더니…. 점점 살기가 어려워지잖아!
그래 이건 뭔가 잘못됐어!
결국 그는 민중의 미움을 사게 되고
안 되겠군. 나를 노리는 나쁜 놈들이 너무 많아. 경호원을 늘려야겠어.
빡빡-
자신을 지키기 위한 호위대를 늘리고 유지하기 위해 민중을 착취하게 돼.
저 많은 사람들한테 들어가는 돈이 다 우리 세금인 거잖아.
이것이야말로 참주 정체의 전형적인 모습이란다.
으아악~
11장에서 만나요!

국민을 위한 민주주의

아크로폴리스에서 내려다본 아고라. 아고라는 고대 그리스의 도시국가, 중심지에 있는 광장이다. 아고라는 '모이다'는 뜻을 갖고 있으며 사람들의 모임이나 모이는 장소를 의미한다.

민주주의는 '모든 권력은 국민으로부터 나온다.'고 믿는 정치 체제입니다. 민주주의 근본 이념은 인간의 존엄성을 실현하는 데 있고, 여러 가지 법과 제도를 만들어 그 가치를 실현하려고 하지요. 그런데 왜 플라톤 같은 당시의 뛰어난 철학자들은 민주주의를 별로 좋게 보지 않았을까요?

대부분의 사람들은 근대 민주주의의 근원을 아테네 민주주의로 생각합니다. 이것은 기원전 507년에 클레이스테네스가 중심이 되어 아테네 사람들이 참주를 몰아내고 귀족 정체 대신 민주 정체를 만들었기 때문입니다. 그는 귀족들의 영향력을 줄이고 500인 회의 기구를 민의를 대변하는 기관으로 만들었어요.

그리고 기원전 5세기 무렵, 페리클레스라는 뛰어난 정치가가 그것을 더 발전시켜 민회가 국정의 중심이 되도록 했습니다. 그래서 도시의 중요한 사안들이 모든 시민이 참여하는 민회에서 결정되었고, 이를 시행하는 행정을 책임졌던 10명의 장군들은 정치를 잘못하는 경우 민회에 의해 쫓겨나거나 사형을 당하는 경우도 있었습니다. 하지만 학자들의 연구에 따르면 아테네 민주주의의 실상은 우리가 느끼는 것과는 아주 다른 것이었어요. 우선 민주주의 정치의 혜택을 누리는 사람의 수가 아주 적었습니다. 외국인, 노예, 여성을 빼고 전체 인구 45만 명 정도 가운데 약 4만 명에 해당하는 그리스의 성인 남성들만이 이 제도의 혜택을 받았거든요. 또한 많은 사람들이 먹고 사는 문제에 시간을 빼앗겼으므로, 실제 민회에 참석할 수 있는 사람은 수천 명에 불과했을 거예요. 의사 결정도 대충 손을 들어 결정했습니다. 뿐만 아니라 민회를 대표하는 500인 회의 참석자를 뽑을 때에도 뇌물 등 부패가 심했다고 해요. 결국 돈이 많고, 시간이 많고, 힘이 센 부유한 귀족 출신들이 500인 회의를 주도했고, 이들은 무리를 지어 자신들의 무리에 유리하도록 정치를 했습니다. 소크라테스나 플라톤이 활동했던 시기에는 이런 분위기가 더욱 팽배했습니다. 정직한 사람들보다는 달콤한 언변을 가진 정치적 선동가들에 의해 정치가 좌지우지 되었으니까요. 따라서 똑똑한 소크라테스나 플라톤은 이런 정치 체제를 달가워하지 않을 수밖에요. 하지만 다행스럽게도 그런 문제점들을 이겨내고, 오늘날에는 민주 정치가 자리를 잡게 되었습니다. 물론 아직도 여러 문제점들이 있지만, 투표권을 통해서 신분의 높고 낮음에 상관없이 자신의 뜻을 표시할 수 있게 되었습니다.

우리나라의 국회의사당. 의사당은 한 나라의 민주주의와 민권을 상징하는 건물로써 민주주의 전당이라고 부르기도 한다.

제11장 마음속의 이상국가
이제부터는 참주 정체적 인간에 대하여 알아볼 차례야.
참주 정체적인 인간이 민주 정체적인 사람으로부터 나오게 된 경로를 먼저 따져보자.
그러자면 시간을 거슬러 올라가 민주 정체적인 사람이 과두 정체적인 사람으로부터 나오는 경위를 다시 기억해 볼 필요가 있겠지?
과두 정체적인 사람이라면 앞장에서 나온 것 같은데?
저기… 웬만하면 그냥 설명을 듣는 게 어떨까?
민주 정체적인 사람은 오직 돈벌이만 신경 쓰는 욕심 많고, 인색한 부모(과두 정체적)의 손에 길러졌지.
맞아. 과두 정체적인 사람은 욕심 많고 인색한 사람이야.
그는 사치스럽고 방자한 이들과 어울려 온갖 오만 무례한 행동을 하지.
나만큼 돈 잘 쓰는 사람 있으면 나와 보라고 해! 하하하!
이것은 부모의 인색함에 대한 미움 때문이지.
자식보다 돈이 더 귀한 사람들이 바로 내 부모지. 그런 부모가 모은 돈! 내가 다 써 버리고 말겠어!

그러나 그는 자기를 타락시킨 사람들보다는 나은 성향을 지니고 있어서
양쪽으로 이끌리다가 중간쯤에 자리를 잡게 돼.
얘야, 엄마가 잘못했다.
그러고는 돈에만 빠지지도 않고, 여러 가지 쾌락도 적당히 즐기는 민주적인 사람이 된 거야.
난 민주주의를 사랑해.
민주
그의 삶은 부자유스럽거나 불법적이지도 않으니 말이야.
난 법을 착실히 지키며 사는 선량한 시민이야. 단지 다른 사람보다 돈이 조금 많다는 것뿐이지.
씨익
이제 이 사람이 어느새 어른이 되어 자식을 갖게 되었다고 치자.
민주주의를 사랑하는 이 아버지의 아들이로구나.
자식은 부모가 경험한 것과 같은 현상을 겪게 돼.
부모와 친척들은 그에게 절도 있는 욕구를 권하지만
벌컥
벌컥
이런, 품위 있게 먹어야지!
다른 사람들은 완전한 자유, 즉 방종으로 이끌지.
네 맘대로 해! 뭐든 네 맘대로!
그러면 그는 무제한의 즐거움을 맛보게 되고
향료와 꽃다발과 술과 여러 욕망 등으로 이루어진 방탕한 생활에 빠져 허우적대는 거야.
이제 그의 영혼은 광기로 채워지고 부끄러움도 못 느끼지.
부끄러움? 그게 뭔데?
딸꾹
이렇게 태어난 참주 정체적 인간은 욕구가 혼을 지배하므로
다 내 맘대로 할 거야! 으하하하!
애욕과 술에 취해 있고, 거의 미친 상태야.
으
히히히
쯧쯧쯧….

그의 생활은 먹고 마시는 일이 전부이며 욕망은 날이 갈수록 점점 심해져.
많은 걸 갖고 있어도 뭔가 부족한 것 같아.
그는 끊임없이 새로운 욕구를 충족시키기 위해 재산을 탕진하고
빚도 점점 늘어나게 되겠지.
빚
이제 그는 닥치는 대로 남의 재산을 빼앗고 심지어 부모의 재산에도 손을 대.
부모님 돈은 곧 내 돈이지. 이건 훔치는 게 아니라고.
만약 부모가 이를 거부하면 훔치든지 거짓말을 해서라도 자기 뜻을 이루고 말아.
턱-
약탈이나 폭행도 불사하지.
퍽
퍽
폭군과 같은 자식을 낳는다는 것은 행복과는 거리가 멀겠지?
어휴… 어떻게 엄마 아빠를 때려요? 정말 나쁜 사람이에요.
만약 부모의 재산을 빼앗고도 모자라면 그는 남의 집에 들어가 물건을 훔치거나
헉!
척 척 척
밤길을 가는 나그네의 옷을 벗기는 일도 서슴지 않아.
가진 거 있으면 다 내놔!
그것도 모자라 신전에 숨어 들어가 여러 가지 물건들을 몰래 들고 나올걸?
와! 그 시대의 신전이라면 아무나 함부로 들어갈 수 없는 곳일 텐데….
그는 욕망의 지배를 받고 있어서 이보다 더한 짓을 할 수도 있어.
즉 끔찍한 살인을 저지르거나, 먹어서는 안 될 음식을 입에 대는 수도 있지.
윽! 갈수록 끔찍해지네요.

그의 주변에 있는 사람들은 아첨꾼들로서 자신들에게 필요한 게 있으면
오! 언제 봐도 남자답게 돈 잘 쓰는 내 친구야, 보증 좀 서주라. 내겐 너밖에 없어.
엎드려 온갖 아부를 다하지만,
헤헤.
일단 필요한 걸 얻고 나면 남이 되는 거지.
모두 다 어디로 간 거지?
그러니까 참주 정체적 인간은 온 생애를 통해서 누구와도 친구가 되지 못해.
세상에 믿을 놈 하나도 없다니까! 나 외엔 누구도 믿지 않아!
깡
자유도, 참된 우정도 영원히 맛볼 수 없지.
그딴 거 맛보지 않아도 난 하나도 아쉬울 거 없어!
그는 도무지 신뢰할 수 없는 사람이며, 가장 올바르지 못하고 가장 나쁜 사람이야.
어려서부터 이런 성향을 가진 사람은 나중에 지배자가 되면 반드시 그렇게 하지.
아주 단정적이네요?
끄덕 끄덕
그리고 나이를 먹을수록 횡포가 심해져.
그러니 가장 흉악한 사람이 또한 가장 불행한 사람이겠지?
흐흐~
오래도록 으뜸으로 참주 노릇을 한 사람이 가장 비참한 사람 아니겠어?
누구나 나를 무서워하지. 그래서 내 근처엔 얼씬대지 못해.
결론은 앞서 말한 이상국가와 방금 말한 폭군의 나라를 비교해 보면 서로 극과 극을 달린다고 볼 수 있지요.
즉 이 세상에서 가장 비참한 국가는 참주 정체의 국가이고
흐흐흐흐…
가장 행복한 국가는 철학자가 통치하는 국가라는 거야.

참주는 독재자이므로 무소불위*의 권력을 휘두르니
그래! 나 독재자 맞다! 누구든 내 명령을 어긴다면 목숨이 10개라도 모자랄 거야!
얼핏 보면 행복할 것 같지만, 그는 무척 비참하지.
많은 노예를 가진 부자에 비유해서 설명을 하지.
많은 노예를 가졌다면 큰 부자겠네요?
그렇지! 참주와 부자는 다소의 차이는 있지만

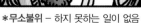

*무소불위 – 하지 못하는 일이 없음

노예를 갖고 있다는 점에선 같다고 볼 수 있지.
많은 노예들을 거느린 부자들은 국가라는 테두리 안에선 불안을 느끼지 않겠지.
노예 수를 더 늘려야 될 텐데.
그러나 이런 경우를 상상해 본다면 이야기는 또 달라지지.
머릿속으로 또 그림을 그려 봐.
만약 어떤 신이 50명 이상의 노예를 갖고 있는 부자를 노예들과 함께 들어올려,
둥
실
뭐… 뭐야?
아무도 도와줄 수 없는 외진 곳에, 이를테면 허허 벌판 같은 곳에
휘 이 잉~
그와 가족들을 노예들과 함께 내려놓는다면 어떻게 될까?
물론 부자의 전 재산도 같이 말이야.
그 황야는 아무도 구조하러 올 수 없는 곳인데
휘 이 이 이 이….
부자와 그의 가족들은 행복해 할까? 아니면 불안해 할까?
불안할 것 같아요.

맞아. 그들은 노예들한테 몹쓸 짓을 당하지 않을까 몹시 두려워하게 될 거야.
그래서 그는 몇몇 노예에게 아부하고, 또는 노예들을 해방시켜 주겠다는 등
내 말만 잘 들으면 노예문서를 돌려 줄게.
마음에도 없는 약속을 하며 아첨꾼으로 변하게 되지.
말이야 뭔들 못하겠어?
만약 신이 짓궂게도, 계급에 상관없이 죄를 지은 자를 혼내주는 사람들을 이곳으로 데려온다면 또 어떻게 될까?
또 누굴 보낸다고요? 아, 짜증나!
아마 그가 처한 상황은 더욱 나빠질 거야.
내가 부자인 게 그렇게 배가 아프세요? 네?
신
그는 전보다 더 큰 두려움에 사로잡히겠지.
이것이 바로 참주의 모습이야.
참주
사방에서 감시받고 있으니까.
온갖 공포와 욕구로 가득 찬 참주의 실상인 거지.
참주는 감옥에 갇혀 있는 것과 마찬가지야.
으흐흐흐~
그는 구경 다니는 것을 좋아하지만 두려워서 여행도 못 가고
나도 바깥에 나가 꽃구경도 하고 싶은데….
나가면 되잖아요?
집안에만 틀어박혀 살아가는 수밖에 없어.
꽃구경하다가 누가 뒤에서 칼로 찌르면 어떻게 해? 날 노리는 놈들이 얼마나 많은데!

그는 자신의 욕구들을 전혀 충족시키지 못하는 가장 가난하고 부족한 사람이야.
진짜 그러네요.
그리고 더욱 무서운 것은, 평생 두려움에 떨면서 살아야 하는 거지.
평생을요?
아마도 경련과 고통이 평생 그를 따라다닐걸?
으… 잠든 사이에 누군가 날 죽이려고 할 것 같아서 잠들 수가 없어.
이런 사람이 공공의 폭군이 될 경우 더 큰 불행에 빠지게 된다는 거야.
두리번
두리번
자기 자신도 지배할 수 없으면서 많은 사람을 지배하니까 말이야.
내 말에 불복하는 자는 가만두지 않을 거야!
마치 병든 육신을 이끌고 남과 격투를 하면서 일생을 보내는 것과 같아.
너 내 욕했지? 안 들어도 내 귀엔 다 들린다고!
그렇다고 해서 물러날 수도 없고 말이야.
누구든 나에게 대드는 자는 이런 꼴이 될 거다!
이제 마치 운동 경기의 결과에 대해 심판관이 최종 성적을 발표하듯이, 소크라테스와 글라우콘은 최종 판정을 내리기로 했어.
맨 처음 이야기가 시작되었던 지점으로 돌아가자.
올바른 사람과 올바르지 못한 사람 중에 누가 더 행복한가를 검토해 보다가 이야기가 여기까지 흐른 거잖아?
무대 위에 오른 순서대로 판정을 내리면 되겠지요. 가장 올바른 사람이 가장 행복하고, 바로 최선자 정체적 인간이 여기에 해당되겠죠.
반면에 가장 올바르지 못한 사람이 가장 불행하고, 바로 참주 정체적 인간이 여기에 해당되지.

이제 그 사이에 있는 세 단계의 순서대로 올바름과 행복의 순서가 정해지는 거야.
음… 최선자 정체적 인간과 참주 정체적 인간 사이의 세 단계라면?
바로 최선자 정체적 인간 〉 명예 정체적 인간 〉 과두 정체적 인간 〉 민주 정체적 인간 〉 참주 정체적 인간의 순서로 행복을 누리는 거야.
참주 정체적 인간이 불행하고 비참한 이유는 이거 말고도 또 있어.
이걸로도 넘치는데….
푹~
사람에게는 누구나 영혼이 있는데, 이 영혼은 세 부분으로 나뉜단다.
영혼의 세 부분?
앞장에서도 말했다시피 이성과 격정, 그리고 욕구의 부분이야. 이성은 배움을 좋아하고 지혜를 사랑하며, 격정은 이기기를 좋아하고 명예를 사랑하지.
이성
격정
욕구
욕구는 그 종류가 너무 많아 일일이 열거할 수 없을 정도인데, 아무튼 온갖 욕망과 관련되어 있지.
이 욕망들을 채우려면 결국 돈이 있어야 되므로 욕구는 금전욕이라고 불러도 무방해.
인간은 이 세 부분 중에서 어느 한 부분이 각자의 처지에 따라 득세하고 있단다.
울 엄만… 아무래도 금전욕 쪽인 것 같아. 아니 나한테는 등수 높이라고 잔소리하시니까 명예욕인가?
따라서 인간은 지식의 애호자, 명예의 애호자, 돈의 애호자로 나누어지지.
그리고 이 세 종류의 인간에 따라 세 가지의 즐거움이 있어.
이 세 종류의 인간들 중에서 누가 제일 많은 즐거움을 느낄까?
그거야 사람마다 다르겠죠, 뭐.

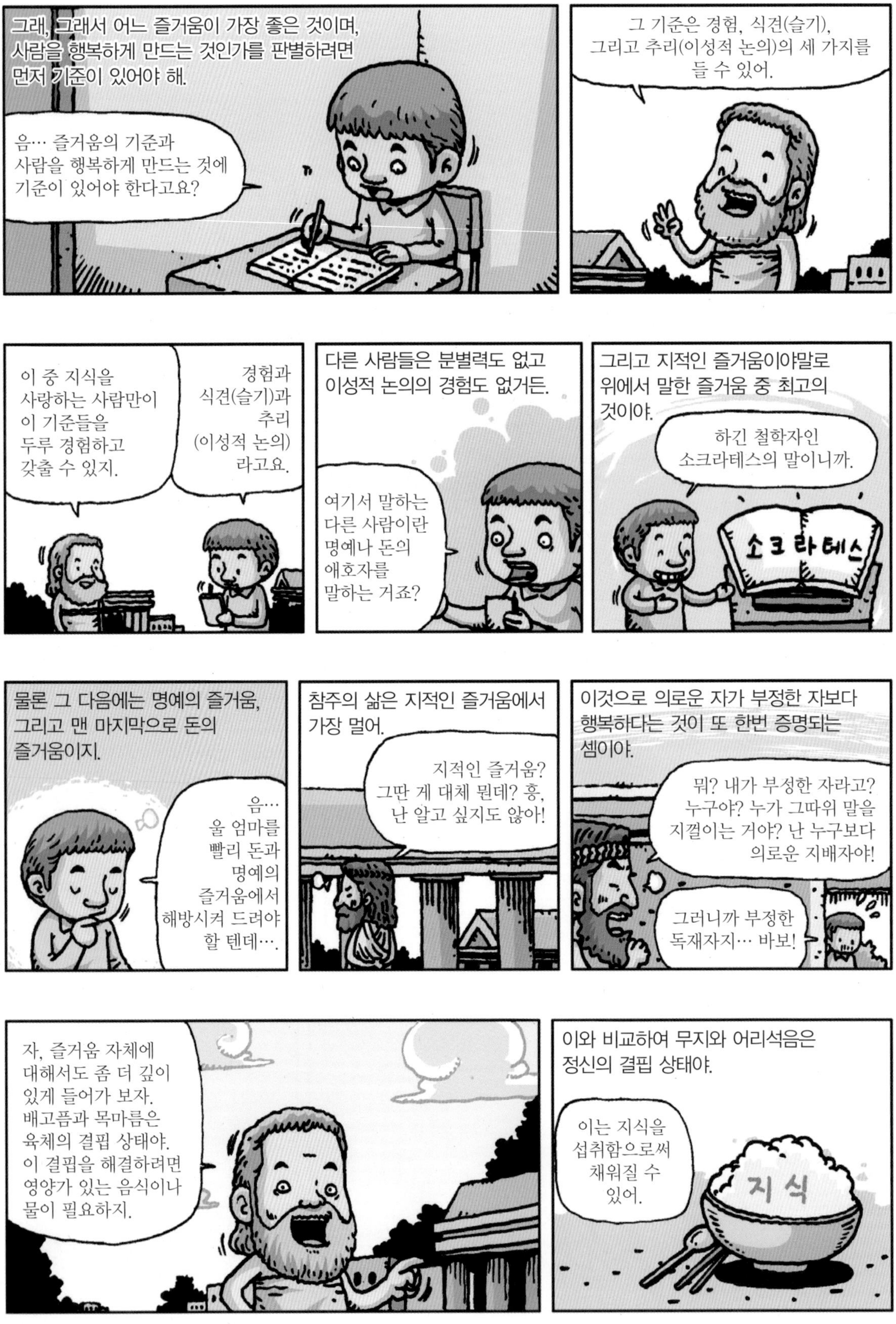

그래, 그래서 어느 즐거움이 가장 좋은 것이며, 사람을 행복하게 만드는 것인가를 판별하려면 먼저 기준이 있어야 해.
음… 즐거움의 기준과 사람을 행복하게 만드는 것에 기준이 있어야 한다고요?
그 기준은 경험, 식견(슬기), 그리고 추리(이성적 논의)의 세 가지를 들 수 있어.
경험과 식견(슬기)과 추리 (이성적 논의) 라고요.
이 중 지식을 사랑하는 사람만이 이 기준들을 두루 경험하고 갖출 수 있지.
다른 사람들은 분별력도 없고 이성적 논의의 경험도 없거든.
여기서 말하는 다른 사람이란 명예나 돈의 애호자를 말하는 거죠?
그리고 지적인 즐거움이야말로 위에서 말한 즐거움 중 최고의 것이야.
하긴 철학자인 소크라테스의 말이니까.
소크라테스
물론 그 다음에는 명예의 즐거움, 그리고 맨 마지막으로 돈의 즐거움이지.
음… 울 엄마를 빨리 돈과 명예의 즐거움에서 해방시켜 드려야 할 텐데….
참주의 삶은 지적인 즐거움에서 가장 멀어.
지적인 즐거움? 그딴 게 대체 뭔데? 흥, 난 알고 싶지도 않아!
이것으로 의로운 자가 부정한 자보다 행복하다는 것이 또 한번 증명되는 셈이야.
뭐? 내가 부정한 자라고? 누구야? 누가 그따위 말을 지껄이는 거야? 난 누구보다 의로운 지배자야!
그러니까 부정한 독재자지… 바보!
자, 즐거움 자체에 대해서도 좀 더 깊이 있게 들어가 보자. 배고픔과 목마름은 육체의 결핍 상태야. 이 결핍을 해결하려면 영양가 있는 음식이나 물이 필요하지.
이와 비교하여 무지와 어리석음은 정신의 결핍 상태야.
이는 지식을 섭취함으로써 채워질 수 있어.
지식

육체든 정신이든 충족시켜 주는 것이 즐거움을 가져다주거든.
와구 와구
쩝 쩝
그런데 양쪽을 비교해 볼 때, 정신을 채워 주는 것들이 보다 불변하며 순수한 것들이고 진리와 관련이 깊지.
배가 부르니까 아무 생각도 안 나네.
으꺼억
그러니 이득을 추구하는 욕망이나 승리를 원하는 욕망이라도
지식
돈
명예
지식과 이성을 쫓아서 함께 즐거움을 추구하면 진실한 쾌락을 얻을 수 있어.
돈
명예
지식
이렇듯, 철학적인 면이 정신 전체를 지배하면 각 부분들은 갈등을 일으키지 않고
그러니까 철학을 갖춘 지식이 밑바탕이 되어야 한다는 얘기잖아요.
저마다 제 구실을 하게 되고, 각 부분은 최상의 즐거움을 맛본단다.
그러면 돈이나 명예에만 치우치지 않게 된다는 뭐 그런 이야기죠?
그런데 참주의 삶은 이러한 즐거움에서 가장 멀리 떨어져 있으니
어이, 거기 독재자 아저씨! 아저씨도 좀 배워요. 철학을 배우면 삶이 달라져요.
참주가 가장 불행하다는 또 한번의 증명이 이루어진 셈이야.
제가 메모한 것만 공부하세요. 공부해서 남 주는 거 아니거든요.
여기서 소크라테스는 철인이 참주보다 무려 729배나 행복하다며, 나름대로의 계산한 결과를 내놓는데….
철인은 참주보다 729배의 행복을 느낄 수 있어.
행복
729
729배의 행복이라고요?
100배도 800배도 아닌 웬 729배요?
다음 쪽을 보면 알 수 있지.

A는 철인의 쾌락, B는 과두 정치적 쾌락, C는 참주적 쾌락이라고 치고, A를 1이라고 하면,
B는 3(A로부터 세 번째에 있으므로), A : B=B : C, 그러므로 A : C=1 : 9, 세 제곱하여 A : C=1 : 729라는데?
뭐야? 철학에 무슨 A, B, C야? 세제곱은 또 뭐냐고?
9
1
C
A
3
7
B
이제는 다시 이야기를 '올바름'으로 돌려서, '올바르지 못한 짓을 하는 것'과
휴~
'올바름을 행하는 것'이 각각 어떤 힘을 갖는지를 살펴보기로 했어.
올바르지 못한 짓을 하는 것과 올바름을 행하는 것의 힘이라고요?
그러기 위해선 우선 준비할 게 있지.
…?
우리 이 종이 위에 영혼의 모습을 그림으로 묘사해서 이야기해 보기로 하자.
난 그림 못 그리는데….
네가 잘 하는 게 뭐 있어?
음… 결심했어!
그러니까 네가 독재자인 거야!
네가 더 독재자 같아.
사람의 영혼 속에 있는 이성과 격정, 욕구를 그림으로 나타내 보는 거야.
피카소처럼요? 그런 그림이라면 자신 있어요.
먼저 이성적인 부분은 그냥 사람의 얼굴로 나타내면 돼.
이성은 얼굴이라.
그리고 격정의 부분은 사자의 얼굴로 그려.
으… 사자의 얼굴은 어렵다.

그리고 욕구 부분은 머리가
여러 개인 괴물로 그리는 거야.
킥킥,
괴물이라.
물론 이 세 부분의 크기는
각각 다르게 해야 해.
어떻게
다르게요?
욕구가 가장 크니 괴물을 가장 크게
그리고, 그 다음은 사자, 사람의
순서로 하면 돼.
그러고 나서 이 세 그림을
하나로 묶고
이렇게!
그것과 인간의 모습을
한 테두리로 둘러싸는 거야.
이렇게!
즉 인간의 모습 안에 괴물의 형상, 사자의 형상, 사람의 형상,
이 세 가지가 함께 엉켜 있는 거지.
꼭 외계인
같아요.
겉만 봐서는 단지 인간으로만
보이도록 하는 거야.
이 속에
괴물이…?
드르릉
드르릉
자, 이젠 다 그렸지?
그림 되게
못 그린다!
킥
킥
머리가 여러 개인 괴물 부분이
제일 재미있지 않니?
너는 뭐
잘 그리냐?
그래도 제 건 뭘
그렸는지는
구분이 가잖아요.
내가 추천하는
괴물들도 좀 보련?

먼저 '키마이라', 영어로는
'키메라' 라고 하고
아! 저도 들어봤어요,
그리스 신화에서
본 것 같아요.
탁
그래, 머리는 사자, 몸은 염소,
꼬리는 용의 형상이지
또는 하나의 몸에 사자와 염소,
뱀의 형상을 한 3개의
머리가 달려 있는 모습이지.
게다가 입에서는
불까지 내뿜는다니….
켁
이 이름을 본 떠서 유전자
조작에 의한 복합체를
'키메라'라고 부른단다.
캬오!
환상적인 생각이나 상상속의 물체를
가리키는 말로도 쓰이지.
지금
뭐 하니?
말 시키지 마세요.
키메라를 상상하고
있으니까.
이뿐 아니라 '스쿠르라' 라는 괴물은 여자의 얼굴과 가슴을 지니고,
등에는 여러 가지 뱀의 머리를 하고 있지.
키메라 상상만으로도
버겁거든요!
또 있어.
또 누구야?
'케르베로스' 는 그리스 신화에서
지옥문을 지키는 괴물이란다.
케르베로스…?
우리만으로
충분하지 않니?
스-윽
지옥문
왜 얘 나오는 데만
분위기를 깔아 줘?
기분 나쁘게.

케르베로스는 3개의 개머리를 갖고 있고, 꼬리는 뱀 모양이며, 목둘레에는 살아 있는 뱀들의 머리가 달려서 움직이고 있는데
으르릉~
지옥을 지키면서 산 사람은 못 들어오게 하고 죽은 자는 못 나가게 한다고 해.
아무도 못 나가!
이제 올바르지 못한 짓을 하는 것이 이롭다고 주장하는 사람에게는
우리와 친구가 되고 싶으면 음주, 흡연, 가무는 기본이야. 자, 마셔!
그의 주장에 맞는 형상을 보여 주면 돼.
짠~
뭐… 뭐야?
바로 이런 모양이 되는 거지.
으아악~!
괴물과 사자는 잘 먹고 강해지지만, 사람은 굶주려서 쇠약해지고
살려줘!
사람은 괴물과 사자가 이끄는 대로 끌려 다니며, 서로 물어뜯고 싸우고 잡아먹도록 내버려 둬.
반면에 올바른 것이 이롭다고 주장하는 사람에게 이런 형상을 보여 주면
올바르게 사는 것이 결국 모두를 이롭게 하는 것입니다.
맞아. 괴물을 잘 길들이고, 사자를 협력자로 만들어서
툭
공동으로 모두를 돌보며 서로 화목하게 만드는 거야.

그렇다면 올바르지 못한 짓이나,
무절제한 행동이나,
부끄러운 짓을 저지르는 것이
휙
이익이 된다고 말할 수 없겠지?
오히려 그런 사람은
더 사악하게 될 거야.
화기
엄금
또한 올바르지 못한 짓을 하고서도
발각되지 않고 처벌을
받지 않는다면
이왕 저지를 거 크게 저지르는 거야. 원래 큰 범죄자는 벌을 받지 않게 되어 있는 세상이라고.
세상은 더더욱 사악해질 거야.
반면에 발각되어 벌을 받은 사람은 야수적인 부분이 순화되고
유순한 부분은 자유로워져서, 그의 영혼 전체가 가장 훌륭한 본성을
갖게 되고
아… 내가
잘못 살았구나….
절제와 지혜를 함께 갖춘
올바름도 갖게 될 거야.
흐흐흑…
그러니 지각 있는 사람이라면
바로 저 같은
사람이요,
히히.
헤헤
올바른 정신을 실현할 학문만을
귀하게 여길 거야.
당근이죠!
올바른 정신을
실현할 귀중한
학문.
육체를 야수적이고 비이성적인
즐거움에 내맡기지도 않고
내 정신 건강에
적입니다.
당장 사라지세요!
…
또한 재물을 소유할 때도
질서와 화합을 유지하여
'야동' 파일?
그게 뭔데요?
우리가
같은 시대
사람이냐?
내가 그걸
어떻게 알아?
재물 때문에 나쁜 일에 말려드는 일이
없도록 하겠지.
이거
돈 세탁된 거야,
안 된 거야?
완벽하게 된 겁니다.
아무도 이 돈의
출처를 알 수
없을 거예요.

그리고 자기 자신을 향상시킬 수 있는 명예만을 기꺼이 받아들일 거야.
휴~.
끼워 넣으려 할 때 안 넘어 가길 잘 했어. 정말 한 점 부끄럼 없이 살아야지.
이야기가 여기까지 이르자
그런 사람이 있다면 정치가가 되지 않을 겁니다.
그런 사람은 현실에서가 아닌 마음속에 있는 왕국에서만 정치를 하려 할 것입니다.
이상국가
그래, 글라우콘도 지금까지 이야기해 온 이상국가는 지상의 어디에도 존재하지 않을 거라고 생각한대.
그렇지요, 소크라테스님!
그래… 슬픈 일이지만 글라우콘 자네 말이 맞네.
소크라테스도 이 점에 동의했어.
지상에 존재하지 않는다면 어디에 존재한다는 거예요?
그런 나라는 이 땅 위에 있지 않고 하늘에 있다는 거야.
단, 이상국가를 원하는 사람의 눈에는 그 국가가 보이고
그 국가를 보면서 그 안에서 살 수 있는데
뚝
그 국가가 실제로 존재하느냐, 또는 앞으로 존재할 것이냐 하는 것은 문제가 되지 않지.
다음 장이 마지막인데 거기엔 뭔가 확실한 결론이 나오겠지?

제12장 올바른 삶에 대한 보상
드디어 마지막 장이 됐네!
이 장은 크게 두 가지 내용으로
나뉘지.
우아!
마지막 장이오?
정신차리고
들어야지.
하나는 시인 추방론이고
다른 하나는 혼의 불멸성과
올바른 삶에 대한 보상이야.
윽!
시작부터 뭐야?
시인 추방론과
혼의 불멸성,
그리고 올바른
삶에 대한
보상이라….
앞장에선 수호자 그룹을 양육할 때
몸을 위한 교육과 혼을 위한
교육으로 나누어서
체육과 음악 교육을
시켰었지.
음,
제법인데….
기억나요!
음악 교육에는
문학도 들어가
있었고요.
그러나 훌륭한 국가에선
음악보단 철학 교육이 본질적으로
적합하다고 본단다.
소크라테스는 일단 시든,
그림이든 모든 예술 활동을
모방 행위로 규정하고 있어.
뭐야?
이 세상은 실재인 이데아를
모방하여 만들어졌는데
예술가들은 이 세상을
또 다시 모방하여 작품을
만든다는 거야.

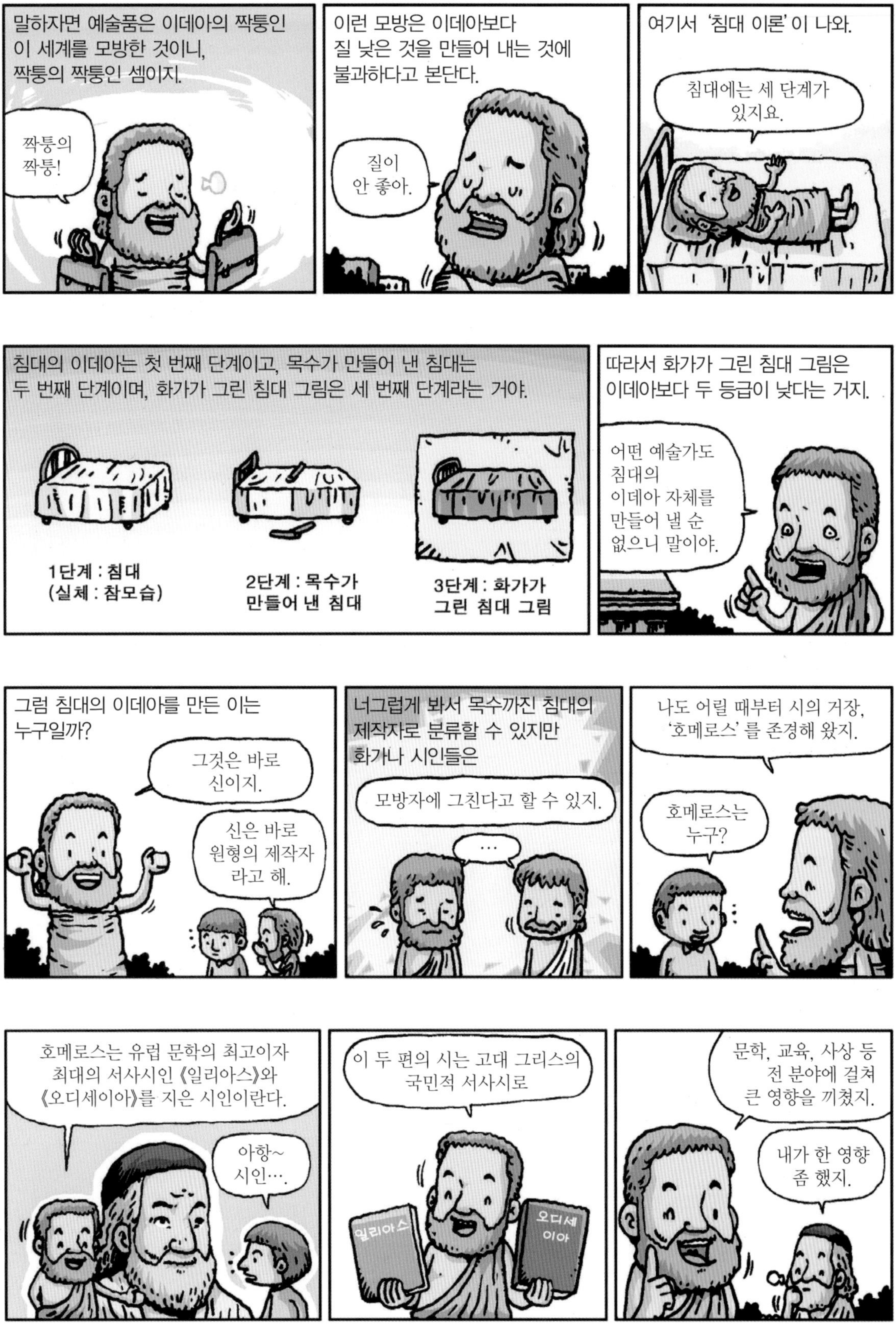
말하자면 예술품은 이데아의 짝퉁인
이 세계를 모방한 것이니,
짝퉁의 짝퉁인 셈이지.
짝퉁의 짝퉁!
이런 모방은 이데아보다
질 낮은 것을 만들어 내는 것에
불과하다고 본단다.
질이 안 좋아.
여기서 '침대 이론'이 나와.
침대에는 세 단계가 있지요.
침대의 이데아는 첫 번째 단계이고, 목수가 만들어 낸 침대는
두 번째 단계이며, 화가가 그린 침대 그림은 세 번째 단계라는 거야.
1단계 : 침대
(실체 : 참모습)
2단계 : 목수가
만들어 낸 침대
3단계 : 화가가
그린 침대 그림
따라서 화가가 그린 침대 그림은
이데아보다 두 등급이 낮다는 거지.
어떤 예술가도 침대의 이데아 자체를 만들어 낼 순 없으니 말이야.
그럼 침대의 이데아를 만든 이는
누구일까?
그것은 바로 신이지.
신은 바로 원형의 제작자라고 해.
너그럽게 봐서 목수까진 침대의
제작자로 분류할 수 있지만
화가나 시인들은
모방자에 그친다고 할 수 있지.
…
나도 어릴 때부터 시의 거장,
'호메로스'를 존경해 왔지.
호메로스는 누구?
호메로스는 유럽 문학의 최고이자
최대의 서사시인 《일리아스》와
《오디세이아》를 지은 시인이란다.
아항~ 시인….
이 두 편의 시는 고대 그리스의
국민적 서사시로
일리아스
오디세이아
문학, 교육, 사상 등
전 분야에 걸쳐
큰 영향을 끼쳤지.
내가 한 영향 좀 했지.

그러나 소크라테스는 호메로스와 그의 시가 아무리 훌륭하다 한들, 나라의 통치나 법률, 전쟁이나 유용한 기술에는 보탬이 되지 못했다고 비판하지.
시인들은 모방자로서 결코 진리에 도달하지 못하기 때문이야.
모방자….
더구나 시인들은 사람들의 정열을 불러일으킴으로써 이성을 해치기 쉽고
오! 불타는 아름다운 도시!
당신이 가진 열정을 이 한순간을 위해 불태우기를!
교묘한 솜씨로 선량한 사람들까지 해롭게 한다는군.
시에서 아름다운 리듬을 제외한다면 그것은 마치….
마치?
시집
마치 청춘을 내세우긴 하지만, 사실은 별로 아름다울 것도 없는 젊은이의 얼굴과 비슷하지.
젊음, 그 자체로도 아름다운 것이야.
흥
그리고 그 얼굴은 꽃다운 시절이 지나면 사람들의 눈에 본색이 드러나게 마련이야.
그래도 세월은 공평해. 미우나 고우나 늙으면 거기서 거기니까, 기운 내! 거기 못생긴 아가씨.
휘
청
이제 소크라테스는 시인을 나라로부터 아주 추방해 버려야 한다는 과격한 주장을 펴지.
더 이상 참을 수 없어. 소크라테스 너 이리 나와!
시인연합
화가 또한 시인과 같은 계열이어서 그들의 창작품은 진리와 비교하면 훨씬 열등하다고 했단다.
열등한 자!
뭐야?
소크라테스는 지금까지 주로 비극만을 비판해 오다가 이젠 만담, 즉 희극 쪽으로 방향을 틀었어.
아하하하
깔깔깔
인간에게는 웃음을 즐기는 면이 있지만 체면 때문에 이성으로 이것을 억제하고 있어. 그런데 만담으로 인해 감정의 사슬이 풀리고 웃음의 기능이 고무되면 비극과 마찬가지의 결과가 초래되는 거지.
말하자면 감정적인 면에 치우치다 보면 이성을 잃게 될 수 있다는 거죠?

그러니 국가에서 받아들여도 좋은 것은 오로지 신을 찬미하고 훌륭한 인물을 찬양하는 노래뿐이지.
아 아아아~
만약 서정시든 서사시든 즐거움만을 위한 시를 받아들인다면, 국가는 법과 이성 대신에 즐거움과 괴로움이 왕 노릇을 하게 될 거야.
띠리리 띠리리~
사실, 옛날부터 철학과 시는 서로 사이가 좋지 않았대.
맞아요, 그랬을 것 같아요.
시 쪽에서는 철학을 '주인에게 짖어대며 소란을 피우는 개', '바보들의 잡담 가운데 우두머리', 또는 '지나치게 예리한 두뇌의 무리', '자기가 거지임을 섬세히 따지는 놈팡이' 등으로 악담을 해 왔어.
시가 질서 있는 국가에 존재해야 할 명분이 입증되기만 한다면 받아들여야 한다고 생각해.
시집
물론 국가나 인생에서 시가 유익함을 증명할 수만 있다면요!
입증해 보세요. 입증하면 인정한다고 하잖아요.
반면에 아무리 시를 사랑하고 매력을 느낀다 해도
훌륭한 국가에 시가 필요하다는 점이 입증되지 않는다면 가차없이 시를 추방해야지요!
뻥
플라톤이 살았던 기원전 5세기경에는 디오니소스 축제라는 것이 있었어.
로마 신화에서 '디오니소스'는 '바쿠스'라고도 하는 술과 다산의 신이야.
알아요. 약국에서 파는 피로 회복제 이름도 거기서 따왔대요.
이 축제는 1년에 4번, 일주일 정도 계속되었지.
아테네 시민들의 단합 대회 같은 역할을 했단다.
올림픽이나 월드컵 같은 경기를 통해서 사람들이 단결하듯이 말이야.
대—한민국! 짝짝—짝—짝짝!
짝 짝 짝
뿐만 아니라 축제에서 상연되는 비극들은 상당한 교육적 효과를 지니지.

아테네 시민들은 이러한 비극을 보며 자기가 사는 사회와 인간의 본성에 대해 눈을 떴어.
에그, 저 나쁜 놈.
축제 기간 동안 나라에선 가난한 시민들도 공연을 볼 수 있도록 일당을 지급했고 말이야.
와글 와글
그러나 엄격한 계급 사회를 꿈꾸는 플라톤으로서는
맘에 안 들어, 맘에 안 들어.
시민들을 교육시키고 하나로 묶을 수 있는 축제나 비극 경연이 곱게 보일 리 없었겠지.
쯧… 저렇게 다 알게 해서야 나중에 일어날 문제를 어떻게 해결하려는 거야?
계몽된 시민들은 통치자에게 복종하기보다는 비판의 눈길을 보낼 것이고
우리 통치자 말이야. 무능력해 보이지 않아?
시민들은 언제든 정치적인 이슈에 단결할 수 있기 때문이지.
작은 힘이라도 뭉치면 엄청난 힘을 발휘하지!
실제로 당시 시인들은 주로 비극작가들이었는데, 이들은 희로애락에 물든 허구의 세계를 주로 다뤘고 개인의 이성과 미덕에는 별로 관심이 없었어.
시와 시인, 더 나아가서 예술에 대해서 좀 더 생각해 봐야겠지?
그래! 그러려면 이 강한 놈이 약한 놈을 더 괴롭히는 게 나아. 그래야 재밌겠지?
아, 거기서 좀 더 감정을 자극시켜야 한다니까!
자, 이제 소크라테스의 긴긴 이야기는 끝을 향해 나아가고 있어.
버… 벌써요? 난 아직 확실하게 알게 된 것이 없는데?
마지막은 올바르게 살면 죽은 뒤에 더 큰 보상을 받는다는 이야기야.
여기까지 이야기가 끝나면 올바름에 관한 긴긴 이야기가 막을 내리지.
죽은 뒤에 보상을 받는다는 것은 곧 영혼이 존재하며 사라지지 않는다는
영혼불멸설로 이어진단다.

우리의 혼은 죽지 않으며 결코 파멸하지 않아.
오! 저는 잘 몰랐습니다. 그렇다면 소크라테스님께선 그 사실을 어떻게 주장할 수 있습니까?
글라우콘, 사람이 살아 있을 때뿐만 아니라 죽어서까지 인간과 신들에게서 보상과 상을 받는다고 생각하는가?
소크라테스는 올바른 사람과 올바르지 못한 사람이 살아 있을 때, 받는 보상보다 죽은 뒤에 받는 보상이 훨씬 크다고 말해.
죽은 뒤에 받는 엄청난 보상은 우리가 상상할 수도 없는 거야.
응? 언뜻 들으면 교회 목사님이 설교하시는 것과 비슷한걸?
계속해서 소크라테스는 파멸과 영혼, 영혼과 육체의 관계 등을 들면서 이를 주장해.
내용이 다소 복잡하고 어려우니까 여기선 뼈대만 소개할게.
인간의 영혼이란 육체와 달리 스스로 움직이는 것으로
육체는 죽음이 있지만 영혼은 시작도 끝도 없다고 본단다.
영혼과 육체는 단지 일시적인 결합일 뿐이어서 결국 영혼은 육체와 분리되지.
'좋음'의 이데아에까지 이르는 사람의 영혼은 진리와 이데아의 세계인 천상에까지 도달하게 되고 말이야.
이것은 내용상 나중의 기독교 사상과 일치하는 부분이 많단다.
끄덕
끄덕
그렇다면 올바름과 그 밖의 훌륭함에 대해서 사람은 죽어서까지 보상을 받는다고 볼 수 있다는 거야.
오히려 죽은 뒤에 받는 보상이 훨씬 크다는데….
그래, 그렇게 말하고 있지.

소크라테스는 이를 뒷받침하기 위해 '에르의 신화'를 소개하고 있어.
옛날에 '에르'라는 남자가 있었어. 그는 전투에서 죽었는데
아악!
화장을 하려고 쌓아놓은 장작더미 위에서 되살아났지.
그러고는 자기가 12일 동안 저승에서 본 것을 이야기했어.
어…
그의 혼이 다른 혼들과 함께 여행을 하고 나서 어떤 신비한 곳에 도착했대.
그곳에는 하늘 쪽으로 구멍이 두 개, 땅 쪽으로 구멍이 두 개가 뚫려 있었어. 구멍들 가운데는 심판자들이 앉아 있고 이들이 혼들을 심판하는 거야.
혼들은 심판을 받은 후 각각 구멍으로 사라지는데
에르, 빨리 와!
올바른 사람은 심판 받은 내용 표지를 앞에 두르고 하늘로 난 오른쪽 구멍으로 올라가고
올바르지 못한 사람은 자기 행적이 적힌 표지를 등에 달고 땅으로 난 왼쪽 구멍으로 내려가.
하늘의 왼쪽 구멍에서는 순수한 혼들이 내려오고 있고
땅의 오른쪽 구멍에서는 오물과 먼지를 뒤집어쓴 혼들이 올라오고 있지.
내 몸에 붙어 오지 마! 더럽게.
네가 더 더럽거든!
이 혼들은 오랜 여행을 하고 온 것처럼 보였고, 만나서 초원으로 가서 야영을 했지.
여기서 자고 가야 할 것 같아.

혼들은 서로 안부를 물으며
자기 이야기를 들려주는데
어이,
자넨 오는 길이
어땠나?
엄청났지.
힘든 일이
무지 많았어.
땅 쪽에서 온 혼들은 천 년에 걸친 지하 여행에서 겪은 일들을
슬픈 어조로 이야기했고, 하늘 쪽에서 온 혼들은
행복했던 일들과 아름다운 구경거리에 대해 이야기했어.
사람은 자기가 올바르지 못한 짓을
한 만큼 벌을 받게 되는데
그 열 배로 벌을
받는다는 거야.
여…
열 배?
특히 땅 쪽 오른쪽 구멍에서는
많은 사람들이 올라오려고
아우성을 치는데
너무나 힘든 벌을
받기 때문이야.
가장 심한 벌을 받는 사람들은
대부분 참주들이라는군.
아악—!
이제 초원에서의 야영이 8일째가 되자,
그들은 다시 길을 떠나게 되지.
그만들 떠나자고!
그리고 3일 만에
어떤 곳에 도착했는데
여기야?
여기가 맞아?
이곳에서는 모든 천체들을 관통하는
기둥 같은 빛을 내려다볼 수 있어.
그 빛은 무지개와 비슷하면서도
더 밝고
아름다웠지.
너무 아름다워.
대체 이게 뭐지?
다시 하루 후에 그 빛에 도착했고, 그 빛의 중간에
몇 개의 띠가 하늘에서 아래쪽까지 뻗어 있는 게 보였어.
이 빛은 마치 하늘의 허리띠처럼
우주 전체를 졸라매고 있는 것 같았지.
이 띠의 끝에는
대체 뭐가 있을까?

이 띠들의 끝은 다시 아낭케 여신(운명의 여신들의 어머니)의 방추에 하나로 묶여 연결되어 있었지.
저 분이 그 운명의 여신들의 어머니이신 아낭케 여신?
이 방추에는 8개의 돌림판이 연결되어 각각 돌고 있는데
그것은 각각 항성과 토성, 목성, 화성, 수성, 금성, 태양, 그리고 달을 의미해.
결국 혼들이 발견한 빛기둥과 방추, 그리고 8개의 돌림판 이야기는
모든 천체를 묘사한 것이라고 할 수 있단다.
그런데 이 방추는 아낭케 여신의 무릎에서 돌고 있어.
아낭케 여신은 무척 크겠죠?
또한 다른 세 여신이 빙 둘러 같은 거리를 두고 옥좌에 앉아 있는데 이들은 아낭케 여신의 딸들로서 운명의 여신들이야.
여신들은 화음에 맞춰 노래를 부르는데, 라케시스는 지난 일들을
당신의 과거를 보여 주세요.
클로토는 현재의 일들을, 그리고 아트로포스는 미래의 일들을 노래하지.
무수한 죄를 짓고 여기까지 온 당신을….
미래를 알고 싶나요? 당신의 미래는 내가 갖고 있지요.

혼들이 거기에 도착했을 때,
그들은 곧바로 신관에게 불려 나갔어.
차례를 지켜라,
차례를!
신관은 라케시스의 무릎에서 제비와 여러 가지 삶의 표본들을
집어 들고는 높은 단에 올라, 근엄하게 몇 마디하고는
영혼들에게 제비들을 던져 주었어.
자, 제비를 뽑아라!
거기! 새치기 하지 말고.
그들은 각자 자기에게 떨어진
제비를 집어 들었는데
에르는 제외되었어.
어?
난 왜 없지?
다음에는 삶의 표본들이
그들 앞에 놓였는데
그 수는 그 자리에 있는 혼들보다도
훨씬 많았고 종류도 여러 가지였어.
너무 많아 고르기가
힘들어.
모든 동물의 삶과 모든 인간의
삶이 함께 있었기 때문이지.
으아악! 이건 뱀,
뱀의 삶이
담긴 거야!
잘못 집었어!
예를 들어 왕의 삶에도 여러 종류가
있어서 한평생 지속되는 것도 있고
조선시대 영조는
정말 오래오래 왕좌를 지켰지.
꼽냐?
중도에 몰락하는 것,
가난과 망명으로 끝나는 것,
거지 신세가 되는 것 등
여러 가지가 있어.
정말
다양하다.
그런가 하면 유명하게 사는 삶도
있었고, 불명예스러운 삶도 있었지.
'스타' 였다가도 한순간에
폐인으로 전락하는
경우도 있고요.
그렇지!
또한 부와 가난, 질병과 건강 등으로
혼합된 삶도 있었고,
정말
사는 게
지겹다.
꼬르륵
또는 그 중간 상태의 것들도
있었어.

그러자 신관은 이렇게 말했어.
마지막으로 선택하는 자도 만족할 만한 삶을 살 수 있다.
다시 말해서 맨 먼저 선택하는 사람도 결코 방심해서는 안 되며, 나중에 선택하는 자도 굳이 낙심할 필요가 없지.
그가 말을 마치자, 첫 번째 제비를 뽑은 사람이 곧바로 나가서
전 참주의 삶을 선택합니다.
그는 지각이 없고 욕심이 많아, 모든 걸 충분히 살피지 않고 선택했지.
아니, 잠깐! 이게 뭐야?!
그는 자기 자식들을 잡아먹거나 그 밖의 나쁜 일들을 하게 될 운명이 그 속에 포함되어 있다는 것을 미처 깨닫지 못한 거야.
그는 다시 천천히 검토해 보고는 가슴을 치며 자신의 선택을 한탄했어.
제 자식을 잡아먹는다고? 끔찍해….
쿵
쿵
엉~
엉~
그는 신관이 미리 알려 주었음에도, 불행의 책임을 자기에게 돌리지 않고 운명과 다이몬의 탓으로 돌렸지.
다이몬?
다이몬은 하늘에서 온 사람인데, 전생에 질서 있는 나라에서 살았지.
철학에 의해서가 아니라 단지 습관에 의해 덕을 몸에 지니게 됐단다.
이런 처지에 빠진 사람들 중 적지 않은 수가 하늘 쪽에서 온 사람들인데
우린 순탄하고 힘든 일 없이 살아서인지 조금 단순하기도 하지.
그들은 힘든 일로 단련을 받은 일이 없기 때문이야.
걱정된다, 정말.
반면에 땅 쪽에서 온 사람들은, 고생을 많이 해서
제대로 잘 골라야 해. 더 이상은 힘들고 싶지 않다고.
무작정 선택하지 않았어.
한 번의 선택이 나머지 인생을 좌우하지.

이리하여 경험이 있고 없음에 따라,
또는 제비뽑기의 운수도 작용하여
많은 혼들에게 착한 생애와
나쁜 생애가 배당되었어.
와!
만약 어떤 이가 이승의 삶을
살 때 언제나 건전한 철학을
했다면
그리고 그에게 선택의 제비가 마지막 차례에 떨어지지만 않는다면, 그는 이승에서도 행복할 뿐만 아니라
저승으로 갈 때도, 그리고 다시 이리로 돌아올 때도, 땅 쪽에서 오는 거친 길이 아닌 하늘 쪽에서 오는
부드러운 길을 따라오게 되겠지.
에르의 말에 의하면, 각각의 혼이
자기의 삶을 어떻게 선택하는가가
영화를 정말
실감나게 보고
있는 기분이야.
볼만한 구경거리였다는군.
보기에 딱하기도 하고
우습기도 하고
놀랍기도 했겠지.
대개는 전생의 습관에 따라
선택을 했는데, 반대의 경우도 많아.
가던 길로
가련다. 다른
길이 지금보다
나쁘면 어떡해?
난 지금껏 살던
인생은 지겨워.
너무 순탄했어.
좀 더 파격적인
삶을 살아볼 거야.
트로이 전쟁 때 그리스의 명장이었던
오디세우스의 영혼은
전생에서의 갖가지
괴로움 탓인지
명예욕을 버리고
평범한 삶을 택했다고 해.
이제 명예 따윈 필요 없어.
그저 평범하게 내 가족을
돌보며 살고 싶어.

이와 마찬가지로 동물들이 인간이 되거나
꺄호, 난 인간이다! 날 사냥했던 놈 가만 안 두겠어!
부정한 사람이 야수가 되거나,
야수로 살아보는 것도 재밌을 거야, 히히.
얌전한 사람이 가축으로 변하는 등 여러 가지 경우가 일어났어.
주는 것만 먹고 사니까 힘들게 일하지 않아도 되잖아.
그치만 결국엔 잡아먹히잖아요.
어쨌든 모든 혼이 자신의 삶을 선택한 다음, 순서대로 라케시스에게 나아갔어.
라케시스라면 과거의 여신?
여신은 각자가 선택한 다이몬을 딸려 보냈어.
다이몬? 다이몬이라면 그 하늘 쪽에서 온 한량 같은 사람?
한량이 아니라 덕이 몸에 배어 있는 착한 사람!
그러자 다이몬은 혼을 클로토에게 데리고 가서, 방추의 둘레를 돌리고 있는 그녀의 손에 넘겨 주고
제비를 뽑아 선택한 운명을 확인받았어.
확인 잘하셔. 나중에 딴 소리 하지 말고.
다이몬은 다시 혼을 아트로포스가 운명의 실을 잣는 곳으로 데리고 가서
운명의 실을 돌이킬 수 없는 것으로 만들었지.
그리고 영혼들은 다시 아낭케의 옥좌를 지나 모두 함께 '레테(망각)의 들'에 도착해.
여… 여기가 어디래요?
위에서 설명했잖아요. '레테의 들'이래요.
레테의 들?
그곳은 숨 막히게 더운 곳이었어.
한증막처럼요?
그보다 100배는 더 힘든 곳이지.

저녁이 되어서 혼들은 '레테(망각)의 강' 옆에서 야영을 했는데
이 강물은 어떤 그릇으로도 담을 수가 없는 것이었어.
담을 수 없는 물?
정해진 양만큼만 마셔야 되지만, 자제력이 없는 사람들은 정량 이상을 마시고 저마다 모든 것을 잊어버리고 말았지.
아… 시원하다. 그렇게 많이 마시면 이제껏 일어난 일들을 몽땅 잊어버린다고.
벌컥 벌컥
그래도 목마른 걸 어떡해?
……
그들이 잠이 들고 밤중이 되자, 천둥과 지진이 일어났지.
우르릉
콰광
에르에게는 강물을 마시지 못하게 했기 때문인지 에르를 뺀 나머지 영혼들을 누군가 여기저기 높이 옮겨 놓았어.
뭐… 뭐지?
자신이 어떻게 몸속으로 다시 돌아왔는지는 모르지만 에르는
모두 어디로 사라진 거야?
새벽에 눈을 뜨자 장작더미 위에 놓여 있는 자신을 보게 된 거야.
벌떡
에르의 신화는 이걸로 끝이야.
재밌다. 그러니까 에르는 죽은 뒤의 모든 과정을 지켜본 거네요.
그렇지.
고대 그리스의 지혜가 총망라된 플라톤의 《국가》는 이렇게 불멸과 윤회를 이야기하며 대단원의 막을 내린단다.
올바름이며, 정체며, 시인이며, 영혼이며… 너희들의 생활에 와 닿는 이야기들은 아니었을지라도
무궁무진한 '생각거리'들을 안겨 준 책인 건 사실이지?
집에 가서 다시 생각해 볼래요. 머리 아파.
비틀 비틀

플라톤 국가

손영운 글 | 이규환 그림

01 《국가》를 쓴 철학자는 누구일까요?

① 플라톤 ② 아리스토텔레스 ③ 코페르니쿠스
④ 데모크리토스 ⑤ 맹자

02 《국가》에 등장하여 여러 사람들에게 삶의 지혜를 설명해 주는 사람(철학자)의 이름은 무엇일까요?

① 아르키메데스 ② 소크라테스 ③ 헤로도토스
④ 아리스토텔레스 ⑤ 플라톤

03 플라톤이 학생들을 모아서 가르친 학교를 무엇이라고 할까요?

① 리케이온 ② 성균관 ③ 태학
④ 아카데미아 ⑤ 아크로폴리스

04 다음은 소크라테스와 케팔로스의 대화에 나오는 내용을 정리한 것입니다. '이것'은 무엇을 두고 한 말일까요?

- 이것이 있으면 거짓말을 하지 않아도 되고, 빚을 질 필요가 없다.
- 이것은 사람이 자존심을 지키며, 사람답게 살 때 유리하다.

① 무기 ② 정치 ③ 권력 ④ 지위 ⑤ 재산

05 '기게스의 반지'는 어떤 능력을 가지고 있을까요?

① 반지를 끼면 투명 인간이 된다.

② 반지를 끼면 천리안을 가진다.

③ 반지를 끼면 말솜씨가 좋아진다.

④ 반지를 끼면 마법사가 된다.

⑤ 반지를 끼면 거인이 된다.

06 플라톤은 어떤 사람이 통치 계급으로서의 자격이 없다고 보았나요?

① 국가에 이롭다고 생각되는 일에 온 열의를 다하는 사람

② 어떠한 유혹이나 강압에도 약해지지 않는 사람

③ 지혜와 이성을 중요하게 여기는 사람

④ 특별한 엘리트 교육을 받은 사람

⑤ 재산이 많은 사람

07 시민 계급, 수호 계급 : 시민 계급은 생산을 담당하고, 수호 계급은 나라를 지키는 일을 담당합니다. 수호 계급은 다시 통치 계급과 수호 계급으로 나뉩니다.

08 소피스트 : 소피스트를 궤변론자라고도 했는데, 궤변이란 이치에 닿지 않은 말을 억지로 둘러대어 합리화시키려는 허위적인 변론을 말합니다. / 09 철학자

10 '동굴 감옥'은 보통 사람들이 눈으로 보고 몸으로 겪는 이 세상을, '동굴 안에 갇혀 있는 사람'은 철학을 알지 못하는 대부분의 사람들을, '해'는 좋음의 이데아, 즉 참된 이데아를 비유합니다. : 플라톤은 더불어서 국가의 통치자가 될 사람은 동굴 안의 현상 세계가 아닌 동굴 밖의 실재 세계를 볼 수 있는 사람으로 '좋음의 이데아'를 깨달은 철학자여야 한다고 주장했습니다.

07 플라톤은 국가를 구성하는 계급에는 크게 두 종류가 있다고 보았는데, 어떤 것일까요?

---

08 다음은 어떤 사람들에 대한 설명일까요?

- 고대 그리스 시대에 활약한 지식인들로 궤변론자라고도 한다.
- 이들은 말하는 기술을 가르치고 보수를 받기도 했다.
- 화려한 말솜씨로 사람들의 밝은 생각을 어둡게 하기도 했다.

---

09 플라톤은 어떤 사람이 국가의 통치자가 되어야 한다고 했나요?

정답

01 ① / 02 ② : 《국가》를 지은 사람은 플라톤이지만 플라톤은 자신이 존경하는 스승인 소크라테스를 주인공으로 내세워 소크라테스가 여러 사람과 대화하는 형식으로 책을 구성했습니다.

03 ④ 리케이온은 아리스토텔레스가 만든 학교의 이름입니다. / 04 ⑤

05 ① : 기게스는 원래 양치기였는데, 어느 날 투명하게 만드는 능력을 가진 반지를 가지게 되었습니다. 그는 반지의 신비한 힘을 이용하여 투명 인간이 된 후 왕을 살해해 스스로 왕이 되었습니다. 기게스의 반지로 순진한 양치기는 부도덕한 권력자가 되었습니다.

06 ⑤ : 플라톤은 통치 계급, 즉 수호 계급이 되는 사람은 사유 재산을 가져서는 안 된다고 주장했습니다.

10 플라톤은 '동굴의 비유'를 통해서 자신이 주장하는 이데아의 세계를 설명합니다. '동굴의 비유'에서 '동굴 감옥', '동굴 안에 갇혀 있는 사람', '해(태양)'는 각각 무엇을 상징하는 것일까요?